Todo Filho Precisa de Uma Mãe Que Ora

Janet Kobobel Grant | Fern Nichols

Todo Filho Precisa de Uma Mãe Que Ora

Originariamente publicado nos EUA
sob o título *Every Child Needs a Praying Mon.* Grand Rapids, Michigan.

1ª edição: junho de 2005
11ª reimpressão: maio de 2024

Tradução
Lena Aranha

Revisão
Heloisa Wey Neves Lima

Diagramação
Patricia Caycedo

Capa
Douglas Lucas

Editor
Aldo Menezes

Coordenador de produção
Mauro Terrengui

Impressão e acabamento
Imprensa da Fé

Editora Hagnos Ltda.
Rua Geraldo Flausino Gomes, 42, conj. 41
CEP 04575-060 — São Paulo, SP
Tel.: (11) 5990-3308

E-mail: hagnos@hagnos.com.br
Home page: www.hagnos.com.br

Dados Internacionais de Catalogação na Publicação (CIP)
Câmara Brasileira do Livro, SP, Brasil

Nichols, Fernan, **1945-**

Todo filho precisa de uma mãe que ora / Fern Nichols & Kobobel Grant, prefácio de Evelyn Christenson [tradução: Lena Aranha]. — São Paulo: Hagnos, 2005.

Título original: Every child needs a praying

ISBN 85-89320-72-3

Bibliografia

1. Mães e filhos 2. Oração: cristianismo 3. Vida cristã I. Grant, Janet Kobobel. II. Christenson, Evelyn. III. Título

05-2388 CDD - 248.320852

Índices para catálogo sistemático:

1. Mães: Oração: Cristianismo 249.320852
2. Oração:Mães: Cristianismo 248.320852

Editora associada à:

Ao meu querido marido, Rle, companheiro e amigo de toda a minha vida. Suas orações e apoio são tesouros preciosos guardados em meu coração.

Aos meus filhos, Ty, Troy, Travis e Trisha. Cada um de vocês deixou gravado em meu coração, página após página, histórias sobre a fidelidade e o cuidado amoroso de Deus. Faltam-me palavras para expressar o quanto me sinto honrada por ser a mãe de vocês.

Às três lindas e devotadas "filhas do coração" que Deus me concedeu, Patti, Bonnie e Tara, que têm me abençoado abundantemente.

E à minha mãe, por ter-me ensinado a orar. Oro para que este livro seja um legado do poder de Deus, que se manifesta através da oração, para as próximas gerações de nossas famílias e da família de Deus.

"Escreva-se isto para a geração futura; para que um povo que está por vir louve ao Senhor" (Sl 102.18).

Índice

Prefácio de Evelyn Christenson

Um dos maiores milagres de Deus é o chamado específico para algumas pessoas realizarem grandes obras para Ele. Deus vê nessas pessoas o que o mundo cristão ainda não consegue reconhecer — o potencial de liderança, perseverança, sacrifício e poder espiritual. Billy Graham e Madre Teresa são exemplos desse tipo de pessoas especiais — e Fern Nichols certamente também é uma delas.

Deus viu milhares e milhares de crianças precisando desesperadamente de oração, e viu o fervoroso anseio de Fern ao orar por seus filhos que enfrentavam forte pressão dos professores que se opunham às suas crenças e defendiam um padrão que desafiava sua fé em Jesus e seu estilo de vida. Assim, ela uniu-se a outras mães para orarem juntas, e o ardente desejo de Fern transformou-se em um chamado de Deus para levar outras mães a orar por seus filhos, pois TODO FILHO precisa de uma mãe que ora. O chamado de Deus para Fern serviu de inspiração para que outras mães se reunissem para orar por seus próprios filhos, e Deus transformou esse chamado em um ministério que tem crescido de forma extraordinária — aquele pequeno grupo rapidamente atingiu o incrível número de cento e cinqüenta mil mães que se reúnem em grupos, semanalmente, para orar.

A primeira lembrança que tenho de Fern é a de uma jovem mãe cheia de entusiasmo por sua recém-criada organização, em busca de conselhos relacionados à oração comunitária. Conforme nossa amizade foi se tornando mais íntima e espiritual, pude observar que sua ardorosa paixão foi se transformado em um estilo de vida, cujo propósito é fazer com que as mães descubram que TODO FILHO precisa de uma mãe que ora.

Você está lendo este livro porque também deseja fervorosamente que Deus proteja seus filhos das armadilhas do maligno e daqueles que buscam conquistar suas mentes e seus corpos através das drogas, da violência e dos falsos ensinamentos? Ou você se considera alguém insignificante e sem importância para que Deus responda às suas orações? *Nunca subestime o poder de uma pessoa que ora — inclusive de você mesma!*

Neste livro, você irá acompanhar a jornada pessoal de Fern para se tornar uma poderosa mãe de oração. As práticas instruções aqui apresentadas lhe mostrarão como se tornar uma intercessora de acordo com o padrão bíblico. Recheado de histórias verdadeiras e impressionantes, este livro irá levá-la, continuamente, a confiar que Deus agirá quando você se dispõe a orar.

Fern também irá ajudá-la em algumas questões difíceis de responder, tais como: Como permanecer firme em oração mesmo quando parece que Deus não está ouvindo o meu clamor? Como Satanás pode tentar me impedir de orar? Como vencer as dificuldades que me impedem de orar? Quais os motivos pelos quais todos devem orar? A oração é indispensável nas escolas cristãs? Como posso convencer os professores a orar? Como posso cobrir de oração aquelas crianças cujas mães não oram?

A oração em quatro passos de Fern mostra com profundidade como devemos conduzir nossos momentos de oração, orando em primeiro lugar pela salvação das pessoas. Essa oração inclui *louvor,* em razão dos atributos de Deus, *confissão,* pois só assim sua oração será eficaz, *gratidão,* seja qual for a situação, e *intercessão.*

Este é um dos melhores livros que já li. Trouxe-me, página após página, para mais perto de Jesus, que amou todas as crianças — e advertiu seus discípulos para que deixassem vir a Ele os pequeninos.

Ao ler essas páginas cuidadosamente, todo o meu ser foi envolvido pelo calor espiritual e pela esperança contida na afirmação da Bíblia de que Deus permanece em seu trono e irá resgatar nossos filhos — se nós orarmos.

Este livro não é para ser lido casualmente. Ao contrário, você deve estudá-lo em atitude de oração, com o mesmo fervor que Deus concedeu a Fern, isto é, com *empenho, lágrimas, perseverança e fé.* Estude este livro até colocar em prática seus ensinamentos — até você se transformar em uma pessoa de oração, e até Deus responder a cada uma de suas orações, a seu modo, a seu tempo e de acordo com suas razões —, mas sempre para o bem de seu filho. *Assim deve ser uma mãe que ora.*

PREFÁCIO À EDIÇÃO BRASILEIRA

Este não é apenas mais um livro sobre a importância da oração como disciplina cristã.

O propósito aqui é enfatizar como nossos filhos precisam das nossas orações para poder enfrentar as fortes pressões do dia-a-dia. As pessoas irão questionar sua fé, menosprezar seus valores e criticar seu comportamento, considerado antiquado e inadequado para o mundo atual.

Se não cobrirmos nossos filhos com nossas orações, eles estarão desprotegidos e vulneráveis, e muito mais inclinados a se deixar levar pelos padrões do mundo.

O que a autora propõe neste livro é exatamente isso: orar por nossos filhos.

Certamente muitas mães irão dizer: Mas eu sempre orei pelos meus filhos!

Se você é uma mãe que ora pelo seu filho, pode estar segura de que Deus está ouvindo suas orações.

Mas podemos orar de uma forma ainda mais eficaz: usando o próprio texto bíblico.

Quando oramos por nossos filhos de acordo com as Escrituras nossa oração tem mais poder, pois podemos ter certeza de que o que estamos pedindo está de acordo com a vontade de Deus.

A autora recomenda também que as mães se unam a outras mães (ou tias, professoras, avós, etc.) para intercederem juntas pelos filhos.

Você ficará agradavelmente surpresa ao ler os inúmeros testemunhos de vidas transformadas, relacionamentos restaurados e ofensas perdoadas, frutos das orações das mães. Você querida leitora pode ser mãe biológica adotiva ou espiritual e depois de ler este livro vai constatar que... ***Todo Filho precisa de uma mãe que ore por ele.***

Dora Bomilcar de Andrade

Introdução: O nascimento de um movimento de oração

Lembro-me de, ainda criança, orar para que o casamento e a maternidade fizessem parte do plano de Deus para minha vida. Tudo que eu queria, quando crescesse, era ser mãe. Assim, fiquei encantada quando Ele respondeu à minha oração. Mas fiquei surpresa quando Deus pediu-me para ajudá-lo a criar um ministério com vinte mil grupos semanais de oração, envolvendo cerca de cento e cinqüenta mil mulheres, espalhadas por noventa e um países — com o compromisso de orar pelos seus filhos e pelas escolas onde eles estudam.

O movimento *Moms in touch international* [*Mães em contato internacional*] começou com um pequeno grupo de mulheres que se reuniu para orar, em minha cozinha, quando eu enfrentava uma crise. Nessa época, 1984, morávamos no Canadá, em British Columbia, e Rle[1], meu marido, trabalhava como técnico do time de

Atletas em Ação, do Campus da Cruzada para Cristo. Tínhamos três filhos e costumávamos brincar que iríamos encerrar nossa prole quando formássemos nosso próprio time de basquete, com cinco homens. Contudo, Deus, em seu plano perfeito, deu-nos mais uma criança, mas dessa vez, era uma menina.

O que posso fazer?

Tudo começou em setembro, no início do ano letivo [o ano letivo, nos países do hemisfério norte, começa em setembro]. Depois de abraçar e beijar meus dois filhos mais velhos e mandá-los para a escola pública a pouca distância de nossa casa, onde eles cursavam o ensino fundamental, voltei para a cozinha e fiquei pensando no que eles iriam enfrentar. Eu sabia que a escola era um campo de batalha para seus corações e mentes. As tentações que eles teriam que enfrentar invadiam meu pensamento: imoralidade, drogas, alcoolismo, pornografia, linguagem vulgar e filosofias que poderiam destruir sua fé em Jesus.

— Oh, Senhor — orei em voz alta —, por favor, proteja meus filhos. Permita que eles saibam discernir claramente entre o certo e o errado, e ajude-os a tomar as decisões que agradem ao Senhor.

No entanto, mesmo após clamar ao Senhor, a preocupação que sentia por meus filhos continuava a me perturbar. A sensação de urgência em protegê-los do mal ainda era forte. Clamei e implorei ao Senhor para que nenhum dos meus filhos se interessasse, nem por um momento sequer, pelo reino de Satanás, que o inimigo não pudesse colocar nem uma mancha em suas vidas e não tivesse a satisfação de vê-los acreditando em suas mentiras. Meu fervor levou-me a uma visão, a um sonho, e por fim a um plano. Senti naquele momento em meu coração que a solução estava em me unir a outras mães em oração.

— Pai querido — orei novamente —, deve haver alguma outra mãe disposta a separar um tempo em meio aos seus afazeres para orar comigo.

O Senhor respondeu à minha singela oração e ao apelo desesperado do meu coração colocando o nome de outra mãe em meu pensamento, Linda. Telefonei imediatamente para ela, compartilhando meus temores e preocupações em relação aos nossos filhos e à escola.

— Sinto como se nós os estivéssemos enviando diariamente ao mundo das trevas — eu disse a Linda. — Precisamos protegê-los com nossas orações. Você passaria uma hora por semana orando comigo por nossos filhos, a partir da semana que vem?

Linda aceitou prontamente meu convite para orarmos juntas. Então nós pensamos em algumas outras mães que também gostariam de orar conosco e, na semana seguinte, um grupo de cinco mulheres se reuniu em minha casa para orar.

Para organizar nosso período de oração, estabeleci uma forma de orar dividida em quatro passos: louvor, confissão, agradecimento e intercessão. Procuramos começar e terminar nossa reunião de oração sempre na hora marcada e não gastar tempo falando sobre oração, mas orando. Tudo que compartilhamos é considerado estritamente confidencial. Este tempo que passamos reunidas em oração se tornou nosso momento de esperança, pois podemos apresentar ao Pai nossas preocupações e as necessidades de nossos filhos. Quando nossas orações são respondidas, nós nos alegramos e compartilhamos nossas vitórias.

O processo de nascimento

Naquela época, não imaginávamos que aquele pequeno grupo de mães, liberando o poder de Deus através da oração, daria origem a um movimento de oração de alcance mundial. Como disse o escritor Wesley L. Duewel: "Deus tem um plano maravilhoso que pode fazer você influenciar o mundo inteiro [através da oração]. Esse plano não é apenas para alguns escolhidos. Ele é para você".

Eu não sabia que Deus estava me chamando para começar um movimento. Mas geralmente grandes coisas acontecem quando somos obedientes nas pequenas coisas.

Nossa fé foi aumentando, e aprendemos a orar e a experimentar a alegria de ver nossas orações respondidas. Não poderíamos deixar de compartilhar isso com nossas amigas.

Assim, as notícias rapidamente se espalharam. Percebemos que deveríamos dar um nome ao nosso grupo. Pedimos então a Deus que nos ajudasse a escolhê-lo, e todas concordaram com o nome ***Moms in touch*** [***Mães em contato***]: mães que, através da oração, estão em contato com Deus, com seus filhos, com a escola que eles freqüentam e umas com as outras.

Mas justamente na época em que o ministério começava a se desenvolver, a equipe de Atletas em Ação foi transferida para Poway, no sul da Califórnia. Lamentei:

"Califórnia! Há cristãos morando na Califórnia?". Minha família ainda não havia se mudado e eu já estava com saudades do meu grupo de ***Moms in touch*** [***Mães em contato***].

Assim que nos instalamos em nossa nova residência, orei: "Senhor, traga-me uma mãe para orar comigo pela escola de Poway".

Algumas semanas após o início das aulas, o Espírito Santo impeliu-me a orar agradecendo a Deus por essa mãe, como se eu já a tivesse encontrado. Então, orei: "Pai, obrigada, pois sei que o Senhor trará uma mãe para orar comigo".

Naquela mesma tarde, uma mãe que morava pouco mais adiante de nossa casa, bateu à minha porta, procurando pelo filho. Enquanto conversávamos na calçada, a conversa enveredou para assuntos espirituais, e contei a Susie sobre ***Moms in touch*** [***Mães em contato***].

Ele segurou minha mão e disse: "Fern, eu quero orar com você, nem que sejamos apenas só nós duas".

> Não tínhamos a menor idéia de que aquele pequeno grupo de mães, liberando o poder de Deus através da oração, daria origem a um movimento de oração de alcance mundial.

No final do ano letivo, dez mulheres estavam orando pela escola de Poway, e outros grupos estavam sendo formados.

Começamos a receber cartas de outras mães que tinham ouvido falar de nosso grupo de oração e queriam mais informações sobre como começar um trabalho. Reuni todas as minhas anotações em oito folhas de papel A4 e comecei a distribuí-las para que pudessem começar novos grupos. Logo, surgiram grupos em outros Estados, e os pedidos de envio de material foram crescendo cada vez mais.

Estávamos agora com um novo problema: como poderíamos suprir a demanda e arcar com as despesas de preparação e envio de material? A solução foi pedir ajuda às mães do meu grupo de *Moms in touch* [*Mães em contato*]. Aquelas mulheres responderam prontamente e deram suas ofertas com satisfação, de modo que as despesas logo foram cobertas.

Com a ajuda e o estímulo de uma das mães do grupo, Sondra Ball, consegui reunir todas as minhas anotações e organizá-las na forma de um livreto. Sondra era dona de uma floricultura e doou parte de seu lucro para que nós pudéssemos imprimir os primeiros quinhentos livretos. Hoje, mais de quatrocentos mil livretos já foram impressos e traduzidos em vinte e três línguas, inclusive com uma versão em braille. Que diferença uma pessoa pode fazer! O livreto começou a ser publicado, levando nossa mensagem ao mundo, graças à visão e ao desprendimento de Sondra. Naqueles primeiros anos, muitas mulheres, como Sondra, trouxeram seus poucos pãezinhos e peixes, e Jesus recebeu o que elas deram, abençoou e multiplicou as ofertas. Cinco mães que faziam biscoitos caseiros formaram a primeira diretoria de *Moms in touch international* [*Mães em contato internacional*]. Nós nos reuníamos em torno de minha mesa de jantar, e buscávamos desesperadamente a ajuda do Senhor para que Ele administrasse esse novo ministério. Sondra Ball, Jackie Fitz, Carolyn Taylor e Charlotte

Domville doaram a si mesmas de forma sacrificial para que outras mulheres, em outras partes do país, pudessem aprender sobre como transformar vidas através da oração. Quando me recordo dessa época, percebo que nem sempre sabíamos quais seriam os próximos passos a serem dados, mas sabíamos quem nos indicaria o caminho. Buscávamos a face de Deus continuamente, e Ele nunca nos desamparou.

Ondulações na água

O conhecido escritor Roy Lessin disse: "Quando atiramos uma pedra em um lago, ela logo desaparece de vista, mas seu impacto provoca várias ondulações que se alastram através da água. Da mesma forma, o impacto de uma vida voltada para Cristo irá alcançar e influenciar positivamente muitas outras pessoas".

Beatriz Grigoni, uma mãe hispânica que participa de um de nossos grupos de oração em San Diego, provocou esse tipo de ondulação. Ela queria muito que seu povo no México aprendesse a orar por seus filhos e por suas escolas. Assim, o Senhor a impeliu a traduzir nosso livreto para o espanhol. Graças ao seu trabalho, não só as mulheres mexicanas, mas também as que moram na Espanha, nos EUA, na América Central e na América do Sul estão se reunindo para orar por seus filhos em espanhol.

Uma outra ondulação foi feita por Connie Kennemer. Em janeiro de 1988, Connie liderou nosso primeiro retiro. Trinta e cinco mães se reuniram no centro de conferências Pine Valley, com o propósito de crescer na fé e receber treinamento, à espera de um reavivamento. O lugar era bastante aconchegante, com o fogo crepitando na lareira. Começamos então a orar, pedindo a Deus que todas as escolas de San Diego tivessem um grupo *Moms in touch International* [*Mães em contato Internacional*]. Conforme orávamos, nossa fé foi crescendo e passamos a pedir para que surgissem grupos em toda a Califórnia. O Espírito Santo nos *impeliu* a orar com mais ousadia ainda, e assim começamos a pedir por todos os Estados da costa leste, e logo depois por todos os Estados. A seguir, nossa fé foi ainda mais longe, e pedimos a Deus para levantar grupos de oração em todas as escolas do mundo.

Mas, como levar esse desafio a outras mães? Uma das mulheres do grupo começou a orar pedindo que Deus mostrasse alguém para falar sobre esse projeto a outras mulheres quando lhe veio à mente um nome: Dr. Dobson! Ele pode fazer isso! Ela então orou: "Senhor, peço-lhe que possamos ir ao seu programa de rádio". Notei que algumas mulheres sorriram, incrédulas, ao ouvir essa oração.

Porém, uns dois meses depois, LuAnne Crane, assistente de produção do programa de rádio *Focus on the family* [*Foco na família*], chamou-me para dizer que havia escutado coisas boas sobre nossa organização e queria mais informações. Quando lhe apresentei o projeto, ela entendeu nossa visão do ministério e se comprometeu a transmiti-la por escrito, da melhor forma possível, ao Dr. Dobson. Ela, porém, nos avisou que ele recebia diariamente centenas de sugestões, e que a decisão final sobre o que seria apresentado no programa era dele. Começamos a orar imediatamente!

Em abril, doze mães me acompanharam até a sede do ministério *Focus on the family* [*Foco na família*], em Pomona, na Califórnia. Eu havia sido chamada para uma entrevista com o Dr. Dobson e elas se dispuseram a ficar orando durante a entrevista. Porém, o Dr. Dobson quis conhecer todas elas antes do programa ser apresentado e convidou-as para entrar em sua sala, perguntando a cada uma: "O que o ministério de oração *Moms in touch* [*Mães em contato*] significa para você?". Enquanto compartilhavam suas experiências, algumas delas tentavam visivelmente controlar o choro, e outras não conseguiam conter as lágrimas, que rolavam sobre suas faces. Gastamos muitas folhas de lenços de papel naquela tarde...

Depois de ouvir atentamente cada uma delas, o Dr. Dobson chamou sua assistente e anunciou: "Coloque mais doze cadeiras no palco. Quero todas essas mulheres no programa". Todas nós arregalamos os olhos e ficamos boquiabertas quando ele se dirigiu a nós dizendo: "Vocês todas vão participar do programa!".

Havíamos pedido a Deus para participar de um programa que fosse ao ar duas vezes, para o caso de alguém perder o primeiro. Bem, Deus deu-nos três. As mulheres estavam ansiosas para saber como poderiam se unir para proteger seus filhos através da oração. Recebemos mais de vinte mil cartas como resultado de nossa participação no programa. Não preciso dizer que nosso ministério nunca mais foi o mesmo a partir daquele momento. Deus respondeu às orações daquelas mães que ousaram pedir muito.

Graças ao sacrifício e à fé de muitas mulheres, *Moms in touch* [*Mães em contato*] tornou-se um movimento internacional. Aquela breve oração que fiz na cozinha de minha casa, aflita por causa das pressões que meus filhos enfrentavam, foi o começo de um movimento de oração que reúne mulheres em todo o mundo. Pois o coração das mães, em todos os lugares — independente da cultura, da condição política ou da situação econômica — é o mesmo. Toda mãe sente necessidade de orar por seus filhos, e TODO FILHO precisa de uma mãe que ora.

Parte I

Atendendo ao chamado para orar

1
Um cântico de oração

DEUS NOS DEU UM CÂNTICO que só nós podemos cantar: um chamado e um propósito, que somente uma pessoa específica pode responder. Ninguém mais pode cantar esse cântico. Se ele não for cantado, estará irremediavelmente perdido.

Parte da canção que devemos cantar se expressa através da oração. Deus quer ouvir cada um de nós. Nosso cântico de oração, embora possa parecer uma simples canção, pode ter grande poder.

Você sente que há poder em suas orações? Crê que suas orações possam ter influência sobre determinadas situações? Você sente que o Senhor inclina seu ouvido para ouvir sua oração? Ou sente que seu cântico de oração é desafinado, em vez de ser uma doce melodia? Ou talvez você prefira permanecer em silêncio, por achar que não sabe orar muito bem? Ou quem sabe você se sente desencorajada porque até já tentou orar, mas a experiência não foi bem aquilo que você esperava?

Antes de começar a tratar do assunto em questão — a oração — posso garantir a você que, não importa o quanto suas orações possam parecer hesitantes, Deus está ansioso para ouvi-las. Quando você orar, seu cântico de oração poderá ser um solo, um dueto, ou ainda um coral, Ele irá ouvi-la atentamente, pois seu cântico irá agradá-lo, mesmo que você o considere muito simples, pequeno ou insignificante demais (como aquelas orações do tipo: "Ajude-me a encontrar uma vaga no estacionamento").

Oração transformadora

Meu propósito ao escrever este livro é aumentar sua confiança na oração e em sua capacidade de orar. Quero que você creia do fundo do seu coração e com todo fervor, que a oração é uma das contribuições mais importantes que você pode fazer pela vida de seus filhos — e essa contribuição produzirá resultados a longo prazo, que terão desdobramentos em suas vidas mesmo quando você já não estiver mais sobre a face da terra. Assim, com esse propósito, tentaremos descobrir novas formas de orar, considerando, a partir das Escrituras, como Deus vê nossas orações e como podemos ser encorajadas a permanecer em oração, mesmo quando tivermos que suportar uma situação por mais tempo do que imaginávamos. Ouviremos também as experiências de outras mães que têm perseverado em oração por longo tempo por seus filhos. Oro para que ao terminar a leitura deste livro, você se sinta encorajada, fortalecida e instruída sobre como ter uma vida de oração. Mas, o mais importante é que sua vida seja transformada, pois embora a oração possa mudar as circunstâncias ou até mesmo a mente de outras pessoas, ela quase sempre transforma o coração de quem ora.

Lembro-me que participei de um grupo de oração em que nós oramos com uma mãe que estava desesperada e infeliz por causa do relacionamento que tinha com seu filho. Ele a odiava tanto que não suportava que ela o tocasse. Havia entre eles uma enorme barreira que os mantinha separados e distantes. Passamos várias semanas orando para que o relacionamento deles fosse restaurado. Pedimos a Deus que derrubasse o muro de amargura, ressentimento e raiva que havia entre eles. Oramos para que aquela mãe enxergasse que fazia determinadas coisas que a afastavam de seu filho.

No final do ano letivo, o filho já estava abraçando a mãe antes de sair para a escola. Quem mudou? Tenho certeza de que aquela mãe iria responder que Deus transformou o coração de seu filho e permitiu que ele mudasse de atitude, mas na verdade, Deus transformou os dois.

Talvez você esteja pensando que orar não exige grande esforço. Mas exige. No entanto, as respostas de Deus, com freqüência, nos surpreendem. Isso é uma das coisas que tornam a oração algo tão fascinante. Algumas vezes, nossas orações eram respondidas de imediato, mas outras vezes parecia que nada acontecia. Uma mãe de nosso grupo tinha um filho adotivo que estava enfrentando problemas com álcool e drogas. Oramos fervorosamente por aquele jovem, no entanto, não víamos mudança alguma. Na verdade, as coisas só pioravam. Perseveramos em oração, clamando para que ele viesse a amar e a servir a Deus com devoção. Porém, durante todo o período escolar e até se tornar adulto, o rapaz permaneceu no caminho de autodestruição. No entanto, Deus ouviu as orações de todas aquelas mães suplicando pela vida dele, e respondeu — vinte anos depois. Há pouco tempo recebi uma carta de sua mãe compartilhando sua alegria por ele ter entregado sua vida a Cristo e ter se casado com uma moça cristã. Hoje ele está envolvido ativamente nas atividades de uma igreja local. Ela contou também que conforme seus colegas viram as transformações que aconteceram na vida dele, fizeram muitas perguntas sobre essas mudanças. Porém, aconteceu algo que nem imaginávamos na época em que orávamos por aquele rapaz: ele levou sua mãe biológica a Cristo pouco antes que ela morresse.

Um exemplo de vida de oração

Não quero que você fique pensando que tudo aconteceu de repente, que um belo dia eu comecei a orar fervorosamente e continuei assim desde o momento em que isso aconteceu. Cada dia eu tenho aprendido um pouco mais sobre oração, exatamente como você. Mas pude testemunhar o poder da oração na vida de uma pessoa bem próxima a mim — minha mãe. Minha mãe passava praticamente o dia inteiro em oração, sempre nos lembrando de orar antes das refeições e à hora de dormir. Muitas vezes, antes de sairmos para alguma viagem, ela orava no carro, pedindo a proteção de Deus. Todas as quartas-feiras, ela nos levava à reunião de oração na igreja. Lembro-me que eu ficava sentada no banco da igreja, balançando as pernas, pois era tão pequena que minhas pernas não alcançavam o chão, enquanto escutava as orações dos santos inundando o templo. Nunca me senti impaciente ou entediada. Ao contrário, eu me sentia à vontade e plenamente integrada naquele ambiente, pois sabia que estava envolvida pelo amor e pela segurança daquelas orações. Dentro de casa, no carro ou na igreja, minha mãe sempre me fez ver que um Deus amoroso se preocupava comigo e estava atento para ouvir e responder às minhas orações. Conseqüentemente, pedi a Jesus que viesse habitar em meu coração quando ainda era bem pequena. Não me lembro de nenhum momento em toda a minha vida em que não tenha conversado com meu Pai do céu.

A diferença que uma oração pode fazer

Já vi respostas maravilhosas a muitas orações ao longo dos anos, inclusive em minha própria família, e essas respostas me impulsionaram a continuar orando. Quando morávamos no Canadá, em British Columbia, meu marido, Rle, e nosso filho de dez anos, Troy, foram convidados por um amigo para fazer um passeio de canoa junto com seu filho. O amigo já havia percorrido aquele percurso ao longo do rio Fraser muitas vezes e queria compartilhar esse divertido passeio com Rle. Além disso, seria uma grande aventura para os dois meninos.

À medida que a data do passeio se aproximava, eles ficavam mais entusiasmados e ansiosos. A aventura exigiu que tudo fosse planejado e preparado com bastante antecedência.

Como estávamos no início da primavera, a neve das montanhas ainda estava derretendo, deixando o rio mais cheio e com maior correnteza. O dia marcado para o passeio amanheceu úmido e chuvoso, mas nada poderia deter o entusiasmo daquele grupo de aventureiros.

Depois de carregar a canoa com os suprimentos, quando eles estavam prestes a sair com o barco, dois homens que estavam vindo para a margem os alertaram gritando:

—Vocês não estão pensando em sair de canoa hoje, estão? — gritou um dos homens.

— Estamos sim!— respondeu o amigo de meu marido.

— Pois eu não sairia hoje se fosse você. As águas estão altas e a correnteza muito forte. Vocês estarão se arriscando a ir parar no fundo do rio!

O amigo de Rle garantiu que já havia saído de canoa com todo tipo de clima, e que tudo daria certo. Mesmo assim, quando eles pularam para a canoa, Rle viu os dois homens balançarem a cabeça em desaprovação.

No meio da tarde, senti um forte impulso de orar pela proteção de Rle e Troy. A impressão foi tão forte que parei o que estava fazendo, sentei-me à mesa da cozinha com minha Bíblia e clamei por proteção para eles. Orei: "Rogo que os guardes do Maligno" (Jo 17.15). "Aqueles que confiam no Senhor são como o monte Sião, que não pode ser abalado, mas permanece para sempre. Como estão os montes ao redor de Jerusalém, assim o Senhor está ao redor do seu povo, desde agora e para sempre" (Sl 125.1,2). "Pois que tanto me amou", diz o Senhor, "eu o livrarei; pô-lo-ei num alto retiro, porque ele conhece o meu nome" (Sl 91.14).

A seguir, orei pelo amigo de Rle e por seu filho: "Deus, o Senhor sabe o que está acontecendo neste momento. Peço que o Senhor os proteja. Guarde-os em segurança. Envolva-os com Seus braços e mantenha-os junto ao Senhor. Traga-os de volta para casa. Confio em ti, e não temerei. Ó, Senhor, traga-os de volta em segurança". Devo ter orado por cerca de uma hora.

Deus responde às orações

Mais tarde, naquele mesmo dia, recebi um telefonema de meu marido, exausto, mas extremamente agradecido. Enquanto ele me contava o que havia acontecido naquela tarde, calculei a hora e percebi que aqueles terríveis acontecimentos tinham ocorrido exatamente no momento em que o Espírito Santo me instigou a orar.

Rle contou-me como tudo aconteceu: enquanto eles remavam rio abaixo, ganharam velocidade até que repentinamente chegaram a um desnível, como se fosse uma pequena cachoeira. A canoa foi jogada para frente, projetando-se no ar, e todos os ocupantes foram atirados no rio gelado. Quando Rle recobrou o controle dos sentidos, percebeu que estava debaixo da água, segurando dois pequenos pés que se apoiavam sobre seus ombros. Sem saber como conseguiu força para fazer isso, ele tirou Troy de seus ombros e nadou com o menino até a canoa, que estava por perto e não havia afundado. Enquanto nadava, ele procurava manter o tronco de Troy fora da água, pois estava preocupado que ele sofresse uma hipotermia.

Troy então perguntou a ele:

— Papai, nós vamos morrer?

Rle permaneceu em silêncio.

Troy continuou:

— Tudo bem, papai. Estaremos com Jesus.

O amigo de Rle e seu filho estavam mais distantes da canoa. Rle comentou mais tarde que jamais poderia esquecer a voz de seu amigo chamando desesperadamente pelo filho e o alívio que sentiu quando pai e filho se encontraram nas águas revoltas. Deus deu a eles forças para nadar até a canoa e subir nela.

Após quarenta e cinco minutos lutando contra o frio e contra a turbulência das águas, a resistência deles, porém, começou a diminuir. Seus corpos estavam enregelados até os ossos. No momento em que Rle começou a achar que eles iriam morrer, outro milagre aconteceu.

De repente, eles perceberam que estavam pisando em terreno firme, e descobriram que estavam em uma pequena ilha submersa no meio do rio. Eles mal conseguiam ficar de pé devido à força das águas. Tremendo de forma incontrolável, eles se abraçaram e agradeceram a Jesus por aquela momentânea segurança.

A seguir, em questão de minutos, um helicóptero, que praticamente não tinha onde pousar, recolheu-os e levou-os rapidamente para o hospital mais próximo. Como a equipe de resgate ficou sabendo onde eles estavam? Este foi um outro milagre. Um casal viu o acidente e acionou imediatamente o resgate. Os médicos disseram que se Troy ficasse na água por mais dez minutos, teria morrido de hipotermia.

Que privilégio poder lutar pela integridade física de meus amados e de seus amigos através da oração. Minha oração fez diferença? Deus enviou seus anjos para ajudá-los apenas porque orei? É claro que sim! Creio na promessa de Deus quando Ele diz que se eu clamar, Ele me ouvirá e fará coisas grandes e maravilhosas. A oração é o instrumento que pode fazer diferença entre a vida e a morte.

Oferecendo sua oração

Por que devemos orar? Porque o poder de uma vida de oração é de grande valor. Não desista. Suas orações só podem ser feitas por você.

Conforme diz Max Lucado, pastor e escritor: "As ações no céu se iniciam quando alguém ora na terra. Você pode não entender o mistério de sua tarefa. Mas algo é muito claro: Quando você fala, Jesus escuta".

Não posso deixar de me lembrar do que está escrito em Tiago 5.16: "A oração fervorosa de um homem justo tem grande poder e resultados maravilhosos" (Bíblia Viva).

Nossos familiares são preservados em segurança, os filhos são libertos do abuso de drogas e os relacionamentos familiares são restaurados — estes são apenas alguns exemplos do que uma vida de oração pode fazer por você e por sua família.

Neste livro, iremos aprender a orar de modo a transformar vidas. Veremos como transpor as barreiras que nos impedem de orar poderosamente; como orar por

> Minha oração fez diferença? Deus enviou seus anjos para ajudá-los apenas porque orei? É claro que sim!

nossos amados usando a Bíblia; como orar segundo a vontade de Deus; como clamar em oração pelas promessas de Deus; como batalhar espiritualmente em oração em nome de nossos filhos e como perseverar em oração, aconteça o que acontecer.

No próximo capítulo examinaremos uma das maiores barreiras à oração — o esforço para acreditar que Deus verdadeiramente ouve e responde as nossas orações. Veremos também como é possível orar com confiança mesmo quando Deus parece não ouvir nossa oração.

Gostaria de encerrar este capítulo orando por você. No final de cada capítulo você encontrará uma oração para dedicar ao Senhor, como oferta especial. Por enquanto, deixe-me fazer esta oração por você:

Deus soberano, obrigada porque o Senhor ama e dá valor a cada um de nós, individualmente. Cada vida é um cântico ao Senhor, que só esta pessoa pode cantar. Oro para que nenhuma de suas filhas duvide do poder da oração. Peço que o Senhor lhes dê coragem para confiar nele. Que o Seu amor afaste o medo, para que você possa cantar com confiança a canção que o Senhor lhe deu. Ó Pai, que este cântico possa trazer grande glória e honra ao Senhor, assim como Ele é fiel ao ajudá-la a cantar seu cântico. Em nome de Jesus, Amém.

2
Orando com confiança

A HISTÓRIA DA IRMÃ DE William Carey é uma fonte de inspiração para mim. William foi missionário na Índia por quarenta e dois anos, durante a segunda metade do século 19. Ele e seus colaboradores traduziram a Bíblia em vinte e cinco idiomas locais, e muitos livros foram escritos sobre sua vida, merecidamente.

Mas a irmã de William Carey provavelmente não seria lembrada se não fosse mencionada no livro escrito por Warren e Ruth Myers, Pray [Ore], onde eles contam a história surpreendente dessa mulher. Mary, a irmã caçula de William, a quem ele chamava de Polly, passou praticamente toda a sua vida confinada a uma cama. Seu corpo esteve quase que completamente paralisado por cinqüenta e dois anos, mas ela se manteve perto de Deus e de seu irmão.

William escrevia para ela contando os detalhes de sua luta para desenvolver gramáticas, cartilhas e dicionários para os vários idiomas locais. Ele descrevia as dificuldades que enfrentava para conseguir que esses livros fossem impressos, assim como as Bíblias. Conforme as notícias chegavam a ela, em Londres, ela apresentava seus pedidos de oração a Deus, oferecendo fielmente muitas horas de "serviço" orando e pedindo a Deus, ano após ano, para que Ele suprisse as necessidades de seu irmão. Nas palavras de Warren e Ruth Myers: "Quem irá receber o crédito pelas vitórias alcançadas por esse homem extraordinário?".[1]

Polly, uma mulher de fé, jamais permitiu que suas limitações físicas paralisassem sua vida de oração. Qual o segredo que a capacitou a orar com tamanho fervor e perseverança durante tantos anos? O que dava a ela tanta confiança na oração?

Barreiras à oração

Como Polly, todas nós enfrentamos barreiras para orar, mas talvez a maior delas seja a falta de fé. Talvez você não confie na sua capacidade de escolher as palavras certas ao orar, ou não tem certeza de que Deus realmente ouve sua oração, ou provavelmente, você acha que Deus ouve sua oração, mas não está disposto a atendê-la.

Kellie, por exemplo, tinha receio de orar com outras pessoas. Ela argumentava: "Não me sinto preparada para orar de forma espontânea, pois só aprendi a orar repetindo as palavras mecanicamente. Como posso orar com tal confiança? Não faço parte do ministério, nem recebi treinamento para exercer essa função".

Além disso, Kellie se preocupava por não se achar capaz de orar com a mesma eloqüência que outras pessoas do grupo. Sentia-se também constrangida por causa de seu filho, que apesar de ter entregado sua vida a Deus no passado, bebia em excesso e estava se rebelando contra o Senhor. Como alguém que tinha um filho assim poderia orar ao lado de pessoas tão "espirituais"?

Mas seu desespero ao ver o filho afundando cada vez mais na rebelião e na depressão fez com que ela decidisse se unir ao grupo de *Moms in touch* [*Mães em contato*]. Agora, ela só precisava encontrar coragem para ir às reuniões e orar...

Um belo dia, Kellie atendeu ao telefone no posto de saúde de Poway, na Califórnia, onde trabalhava, e a pessoa se identificou dizendo: "Aqui é Fern Nichols".

Kellie relembra: "Meu coração deu um salto quando escutei esse nome. Sabia que Deus estava me trazendo para o *Moms in touch international* [*Mães em contato internacional*], mas ainda estava temerosa". Ela engoliu em seco e falou: "Sei que você é presidente do grupo *Moms in touch* [*Mães em contato*]".

Quando ela me disse isso, respondi com uma pergunta: "Você tem filhos?"

Kellie contou-me mais tarde que ficou em dúvida se deveria ou não contar que tinha um filho que estava enfrentando sérios problemas. Então, ela apenas respondeu: "Tenho uma filha, que está no primeiro ano da faculdade e é uma cristã firme. E tenho também um filho problemático, que abandonou os estudos". Kellie achava que como seu filho havia deixado a escola, ela estaria fora da proposta do grupo e não precisaria se envolver com *Moms in touch international* [*Mães em contato internacional*].

"Temos um grupo que ora pelos filhos universitários e por suas carreiras", foi a minha resposta. "Você gostaria de conhecer esse grupo na próxima quinta-feira?", perguntei a ela.

Kellie percebeu que não tinha desculpa, e que agora ela realmente teria de ir ao grupo. Assim, fomos juntas à reunião, e quando nos dividimos em duplas para orar, nós duas oramos juntas. Kellie, algum tempo depois, admitiu ter ficado um tanto constrangida ao orar comigo, a fundadora daquele ministério internacional de oração.

No entanto, ela disse que se sentiu em paz, pois sabia que estava no lugar certo, na hora certa e fazendo a coisa certa — orando por seu filho junto com alguém que tinha um coração de mãe igual ao dela. Foi assim que Kellie adquiriu confiança em sua capacidade de orar, e também descobriu que Deus desejava ardentemente ouvi-la. Por fim, depois de quase morrer devido a um apêndice supurado, o filho dela passou por uma reviravolta espiritual e percebeu que as orações de sua mãe o haviam sustentado quando sua vida corria perigo.

A base da confiança

Como Polly Carey e Kellie confiavam que Deus iria ouvir e responder às suas orações? A resposta é simples: elas sabiam que eram filhas de Deus. De certa forma, Deus é como uma mãe que reconhece a voz do filho em meio a um bando de crianças chamando, todas ao mesmo tempo, pela mãe. A mãe atende ao chamado dos filhos, pois conhece o som da voz deles. Assim Deus também atende ao nosso chamado, pois conhece o som da nossa voz.

Veja o caso de Barbara Lea. Mais do que qualquer outra coisa, Barbara desejava sentir que era filha de Deus. No entanto, por causa de seu estilo de vida, ela duvidava que Deus pudesse amá-la ou até mesmo perdoá-la. Como Ele poderia ouvir suas orações?

Barbara Lea começou a beber aos dezesseis anos de idade, e na faculdade passou a usar maconha e a participar de noitadas. Mais tarde ela teve um aborto provocado, dois casamentos fracassados (um de seus maridos a maltratava) e vários relacionamentos com outros homens. O uso de drogas tomou tais proporções que ela dependia delas para se manter ligada durante o dia e dar conta do trabalho e, à noite precisava de um "baseado" para ajudá-la a relaxar. Ao mesmo tempo, ela também começou a usar cocaína.

Com o tempo, Barbara Lea e o patrão, Howard, também divorciado e com quem ela dividia um pequeno escritório, acharam consolo um no outro. Por fim, Barbara Lea percebeu que estava apaixonada por Howard.

Mas deixemos que Barbara conte sua história:

> Pela primeira vez em minha vida, eu havia encontrado um homem que me amava, e tudo que ele me pedia era que assumisse um compromisso com ele. Compromisso? O que era isso? Em trinta e quatro anos, o único compromisso que eu conhecia era com meu trabalho. Nem me recordo de ter usado essa

palavra antes. Mas, depois de refletir sobre isso por um tempo, decidi que aceitava assumir um compromisso com ele.

Uma amiga sugeriu que a acompanhasse à sua igreja. Percebi imediatamente que havia perdido algo importante em minha vida, que aquela igreja poderia preencher. Howard foi conosco e inexplicavelmente gostou de ir à igreja.

Você pode imaginar a difícil situação em que me encontrava: ainda consumindo drogas e morando com Howard, sem estar casada. Em um culto de domingo à noite, porém, lembro-me de ter ficado impressionada com a forma como Deus tratava as pessoas: com firmeza, mas também com gentileza, com bondade, compaixão, amor incondicional e compromisso. *De novo, esta palavra... Deus quer que eu assuma um compromisso com Ele também. Será que consigo? Mas, e as coisas que já fiz ... e que ainda faço? Será que Ele pode me perdoar por tudo?*

Como se estivesse escutando meus pensamentos, o pastor disse a seguir: "João 3.16 nos diz: 'Porque Deus amou o mundo de tal maneira que deu o seu Filho unigênito, para que todo aquele que nele crê não pereça, mas tenha a vida eterna'." O pastor continuou a pregação: "Hoje, talvez haja alguém aqui que ainda não entregou totalmente sua vida a Cristo, ou pode ser que tenha se desviado para o caminho errado".

Pensei: "Será que este pastor está falando comigo?"

O pastor continuou falando: "João 14.6 diz: 'Respondeu-lhe Jesus: Eu sou o caminho, e a verdade, e a vida; ninguém vem ao Pai, senão por mim'. Jesus tem um presente para você. Em Efésios 2.8,9 lemos o seguinte: 'Porque pela graça sois salvos, por meio da fé; e isso não vem de vós; é dom de Deus; não vem das obras, para que ninguém se glorie'. Gostaria de dar uma oportunidade para você receber Cristo como seu Senhor e Salvador e aceitar seu perdão e o amor incondicional que Ele tem por você".

Mas, pensei, sempre precisei dar alguma coisa em troca nos meus relacionamentos. Agora aquele pastor estava dizendo que Deus queria me dar um presente maravilhoso? O que eu teria que fazer para recebê-lo?

O pastor então falou: "Por favor, incline a cabeça e feche seus olhos. Se você sente que Ele está falando com você agora, repita comigo esta oração, silenciosamente, em seu coração".

Meu coração disparou. Eu queria fazer aquela oração para tornar-me uma filha de Deus.

A oração era mais ou mesmo assim: "Senhor Jesus, preciso do Senhor. Obrigada por morrer na cruz por meus pecados. Quero recebê-lo como meu Senhor e Salvador. Obrigada por perdoar meus pecados e dar-me a vida eterna. Quero que o Senhor assuma o controle da minha vida. Faça de mim a pessoa que o Senhor quer que eu seja".

Senti tamanha alegria que seria impossível descrevê-la em palavras. Era como se a casca que envolvia meu coração tivesse sido retirada.

Quando saímos do culto, Howard e eu contamos um ao outro que havíamos aceitado Jesus.

Durante alguns meses tive que enfrentar uma dura batalha contra as drogas. Durante o período em que lutava para deixar as drogas passei por grande depressão, mas as coisas poderiam ter sido muito piores, afinal foram vinte anos de abuso de drogas. No entanto, parei com as drogas, a bebida e as noitadas, e Howard e eu nos casamos. Estamos juntos desde essa época. Nossa mistura familiar tem nos causado muitas dificuldades, mas temos nos empenhado em reparar os estragos que causamos a tantas pessoas antes de aceitarmos a Cristo. Agora, sei que fui perdoada e que sou uma filha de Deus, e sei também que Ele está ansioso para ouvir minhas orações.

Juntando-se à família

Talvez sua vida não seja como a de Barbara Lea, mas todas nós necessitamos do perdão de Deus. Você já convidou Cristo para entrar em sua vida? Você tem dúvidas sobre sua salvação? Se sua resposta for afirmativa, gostaria de encorajá-la a tomar a decisão mais importante de sua vida. Você **pode** se tornar uma filha de Deus. Na verdade, não há decisão mais importante do que aceitar Jesus como Senhor e Salvador. Se seu coração foi tocado, e você sente que nosso Pai do céu a está atraindo para Ele, você pode fazer a oração que Barbara Lea fez: "Obrigada por morrer na cruz por meus pecados e por dar-me a vida eterna. Quero recebê-lo como meu Senhor e Salvador. Peço-lhe que faça de mim a pessoa que o Senhor quer que eu seja. Amém". Você não precisa usar essas mesmas palavras. Deus está atento à sinceridade do seu coração, não à eloqüência de suas palavras. Aproveite este momento para tomar sua decisão...

Se você aceitou Jesus como seu Senhor e Salvador, quero lhe dar as boas-vindas, pois você agora pertence à família de Deus. Você agora é filha de Deus.

Os versículos a seguir revelam o quanto Deus ama cada um de seus filhos. Leia-os com atenção, medite em suas palavras, e reflita sobre essas maravilhosas verdades.

Você é amada com amor eterno (Jr 31.3).

Você é propriedade pessoal de Deus, seu tesouro especial (Êx 19.5).

Você foi criada à imagem e semelhança de Deus (Gn 1.27).

Você foi escolhida por Deus, e Ele se compraz em você (Is 42.1).

Você é preciosa e digna de honra aos olhos de Deus (Is 43.4).

Você é a menina dos olhos de Deus (Dt 32.10).

Você é a glória da sua herança nos santos (Ef 1.18).

Você já se sentiu tão amada, tão especial e tão aceita? "Vede que grande amor nos tem concedido o Pai: que fôssemos chamados filhos de Deus; e nós o somos. Por isso o mundo não nos conhece, porque não conheceu a Ele" (1 Jo 3.1).

Bonnie, minha nora, que gosto de chamar de minha filha do coração, tirou as impressões digitais de nosso neto para garantir que, caso ele se perca, possa ser identificado e devolvido à família. As impressões digitais permitem que ele seja identificado com segurança e faz com que todos saibam a quem ele pertence. Quando aceitamos a Cristo, passamos a pertencer a Deus. Nunca mais iremos nos perder, pois somos participantes da herança divina (1 Pe 1.4). "Pelo que, se alguém está em Cristo, nova criatura é: as coisas velhas já passaram; eis que tudo se fez novo" (2 Co 5.17). Você agora tem uma nova identidade, você é nova criatura, e suas "impressões digitais" também são novas.

Acesso imediato

Como filhas de Deus, temos o direito, o privilégio, a identidade e as "impressões digitais" para falar com Ele a qualquer hora e em qualquer lugar. Não precisamos que alguém nos anuncie, ou que nosso nome conste de uma lista nem ficar à espera de nossa vez. Como filhas de Deus, temos acesso imediato.

Somos como o pequenino John F. Kennedy Jr., que invadia a sala Oval, o escritório de seu pai, subia no colo dele e recebia toda sua atenção. Ele nem se dava conta de que seu pai era o presidente dos EUA ou de que poderia estar interrompendo uma reunião importante. Ele apenas queria estar com seu pai, por isso entrava sem ser anunciado, e era recebido por ele.

> Como filhas de Deus, temos o direito, o privilégio, a identidade e as "impressões digitais" para falar com Ele a qualquer hora e em qualquer lugar. Não precisamos que alguém nos anuncie, ou que nosso nome conste de uma lista, nem ficar à espera de nossa vez para falar.

Como filhas de Deus, temos acesso imediato ao Rei dos reis, que é nosso Pai. Mas nem sempre as coisas foram assim. No Antigo Testamento, apenas o sumo sacerdote podia entrar no Lugar Santíssimo, o lugar mais sagrado de todos, para orar por seus próprios pecados e pelos pecados do povo. Porém, Jesus abriu o caminho para que pudéssemos entrar ali também através de sua morte e ressurreição.

Gosto da forma como o autor do livro de Hebreus coloca essa verdade:

> Mas somente o Grande Sacerdote entra na parte de trás, que é o Santíssimo Lugar, e isto apenas uma vez por ano. Ele oferece a Deus o sangue de animais, em favor de si mesmo e também pelos pecados que o povo cometeu sem saber que estava pecando. Por meio disso tudo, o Espírito Santo nos ensina, de modo bem claro, que, enquanto a parte da frente, que é o Santo Lugar, continuar sendo usada, a entrada para o Santíssimo Lugar ainda não foi aberta [...]. Mas Cristo veio como o Grande Sacerdote das coisas boas que já estão aqui. A Tenda em que ele serve é melhor e mais perfeita e não foi construída por seres humanos, isto é, não é deste mundo. Quando Cristo veio e entrou, uma vez por todas, no Santíssimo Lugar, ele não levou o sangue de bodes ou de bezerros para oferecer como sacrifício. Ao contrário, ofereceu seu próprio sangue e conseguiu para nós a salvação eterna. [...] *Por isso, irmãos, por meio da morte de Jesus na cruz, temos completa liberdade para entrar no Santíssimo Lugar* (Hb 9.7,8,11,12; 10.19; BLH; grifo da autora)

Você já deixou essa verdade invadir seu coração? Você sabe o que isso significa? A maneira como você ora só vai mudar depois que você entender essa verdade. Não somos apenas filhos de Deus, somos também sacerdotes. Não desfrutamos apenas do privilégio de poder chegar até o trono de Deus, mas podemos trazer até Ele as súplicas por outras pessoas, exatamente como os sacerdotes do Antigo Testamento faziam. Eles não entravam no Lugar Santíssimo em seu próprio favor; eles levavam consigo as orações por toda a nação.

O pastor Ron Dunn acrescenta: "A Bíblia diz que somos sacerdócio real. Isso significa que não apenas temos o direito de entrar na presença de Deus, mas que também temos o direito e a obrigação de levar outros à presença dele conosco".

Você se lembra da história da canoa que contei no primeiro capítulo? Quando orei para que meu marido, meu filho e seus amigos estivessem a salvo, eu estava me apossando de minha identidade como filha de Deus e também como sacerdote, para vir com confiança à sua presença. Por essa razão, tive acesso imediato ao Criador do céu e da terra, que também é meu Pai.

Confiante apesar do silêncio de Deus

Saber que você está em Cristo lhe dá confiança para enfrentar aqueles momentos em que você orou fervorosamente, mas não obteve resposta para suas orações. Lembro-me de certa ocasião em que orei por meu filho meses a fio. Ele havia se afastado dos caminhos do Senhor. Certo dia, enquanto orava, eu me senti exausta e percebi que minha fé fraquejava. Será que Deus estava realmente ouvindo minhas orações? Será que eu estava pedindo com fé suficiente?

Pedi ao Senhor para me lembrar de minha posição em Cristo, e procurei trazer à memória as verdades sobre a autoridade que Deus havia me concedido como sua filha e como sacerdote. Em seguida, esta oração brotou do meu coração: "Pai, coloco meu filho diante do teu trono. Ele não está seguindo o teu caminho, ao contrário, tem andado em seus próprios caminhos. Ele está tomando decisões que prejudicam seu testemunho e seu caminhar com o Senhor. Obrigada por lembrar-me que o Senhor disse que se eu resistir a Satanás ele fugirá. Com a autoridade que me foi dada pela minha posição em Cristo, em nome de Jesus eu ordeno que Satanás e os poderes demoníacos se afastem de meu filho. Vocês não têm poder sobre ele, pois ele pertence a Jesus. Saiam imediatamente".

"Pai, eu lhe agradeço porque Jesus, que está em mim, é maior do que Satanás, que está neste mundo. Reivindico para meu filho a promessa de que o Senhor, que começou a boa obra em sua vida, há de completá-la até que Jesus venha. O Senhor não é um Deus que não cumpre o que promete ou alguém que muda de opinião. O que o Senhor prometeu, certamente irá cumprir. Em nome de Jesus, Amém".

Continuei resistindo a Satanás em nome de Jesus e me apossei das promessas de Deus. Que privilégio como mãe poder ocupar a posição de sacerdote e apresentar-me com ousadia diante do trono para interceder confiantemente por misericórdia e auxílio para meu filho.

Percebi naquele momento que se eu não soubesse qual a minha posição em Cristo e não exercesse meus direitos como sacerdote do Reino, não poderia usufruir de minha herança ou da autoridade sacerdotal. A propósito, Deus respondeu minha oração. Hoje meu filho está firme no caminho do Senhor, servindo na equipe de adoração e louvor de sua igreja.

Levando nossos queridos ao lugar santíssimo

Com que freqüência você tem se colocado na presença de Deus? O privilégio, o poder e a autoridade são seus. Você acha que Satanás está rugindo como leão ao redor de sua casa porque você não tem trazido seu marido ao Lugar Santíssimo tão freqüentemente quanto deveria? Deus quer trabalhar na vida de seu marido, assim como quer trabalhar na sua. Mas Deus quer que você o leve ao Lugar Santíssimo. Você tem levado seus filhos ao altar do Senhor e reivindicado as promessas de Deus sobre eles? Você tem levado ao Senhor sua sogra, sua mãe, seus vizinhos, seus amigos não salvos?

Você tem sido fiel a ponto de Deus poder colocar um peso em seu coração para fazê-la orar por algo específico, pois Ele sabe que você fará isso?

Gostaria de compartilhar com você uma história que mostra a importância de ser fiel na oração. O diretor de missões da igreja Park Street, em Boston, confirmou a veracidade de todos os detalhes dessa história. A igreja de Park Street é responsável pelo sustento do Dr. Bob Foster, que trabalha como médico e missionário em Angola. As forças marxistas detinham o controle de Angola, no entanto, as lutas de resistência contra o novo regime ainda eram constantes na região onde se localizava a clínica do Dr. Foster.

Certo dia, o Dr. Foster enviou um assistente à cidade para executar um serviço, a alguns quilômetros de distância do local onde ficava a clínica, avisando-o que deveria retornar antes do anoitecer. O trecho de estrada da clínica até a cidade passava pela floresta, onde acontecia a maior parte dos combates de guerrilha, o que tornava perigoso viajar por aquela região à noite. Bem, o rapaz foi até a cidade, cumpriu sua tarefa a tempo e começou sua viagem de volta.

Entretanto, para sua infelicidade, a caminhonete quebrou bem no meio da floresta. Como não havia outros carros na estrada, ele não teve outra saída, a não ser trancar as portas do veículo, orar e tentar descansar um pouco.

Surpreendentemente, ele dormiu até o dia seguinte, sem nenhum problema. Ao amanhecer, ele conseguiu uma carona até a cidade, comprou as peças que precisava, consertou a caminhonete e completou a viagem de volta à clínica.

Assim que ele chegou, o Dr. Foster e outros colegas foram recebê-lo, aliviados. "Estamos contentes ao vê-lo chegar são e salvo!", disse o Dr. Foster. "Ouvimos sons de combates acirrados ontem à noite". O assistente, no entanto, disse que não tinha ouvido nem visto nada.

No dia seguinte, um líder guerrilheiro foi até a clínica para se tratar de um ferimento, e o Dr. Foster perguntou-lhe se eles não haviam avistado uma caminhonete parada na estrada, na noite anterior.

— Vimos sim! — respondeu o homem.

— Bem, por que vocês não a levaram? — perguntou o médico.

— Nós tentamos, mas quando começamos a caminhar em direção a ela, vimos que estava muito bem protegida. Havia vinte e sete soldados do governo, extremamente bem armados, em volta dela.

Esse incidente permaneceu envolto em mistério até o dia em que o assistente do Dr. Foster retornou aos EUA, de licença. Lá chegando, todas as pessoas do seu grupo de oração foram visitá-lo, vinte e sete pessoas ao todo, para lhe contar que Deus os encarregara de orar por ele num dia específico, exatamente o dia em que ele ficou preso na floresta.[2]

E se apenas dois deles tivessem sido fiéis quando o Espírito Santo os impeliu a orar? Talvez os guerrilheiros tivessem tomado a caminhonete, pois estaria protegida por dois homens apenas. Mas Deus chamou vinte e sete pessoas para orar, e as orações desses sacerdotes garantiram a segurança daquele missionário.

Deus permitiu que o precioso sangue de seu Filho fosse derramado para que, como filha, eu tivesse o direito de entrar em sua presença sempre que necessário. Não preciso agendar uma reunião com Deus para ser recebida por Ele, nem tenho que ficar esperando para ser atendida. Posso clamar a Ele em meu favor e posso levar a Ele em oração uma nação inteira, um missionário ou meus familiares. Posso ir até Ele confiantemente.

Permita que as palavras destes versículos encorajem seu coração e a façam lembrar de seus direitos e privilégios como filha de Deus e como sacerdote, de modo que você possa orar com confiança — sem hesitação, temor ou incerteza. "E esta é a confiança que temos nele, que, se pedirmos alguma coisa segundo a sua vontade, ele nos ouve; e, se sabemos que nos ouve em tudo o que pedimos, sabemos que já alcançamos as coisas que lhe temos pedido" (1 Jo 5.14,15).

Querido Deus, quero lhe agradecer por ser sua filha. Por esse motivo, o Senhor sente prazer e alegria em minha vida, e isso é simplesmente maravilhoso! Não preciso ter medo ou timidez quando estou em sua presença. Obrigada, Senhor, por ter também a responsabilidade e o privilégio de ser sacerdote e, graças ao sangue de Jesus, poder orar não apenas por mim, mas também pelos outros. Ajude-me a usar essa responsabilidade com diligência e honra. Desejo chegar ao trono da graça confiadamente, para receber misericórdia e achar graça a fim de ser socorrida no momento oportuno (Hb 4.16).

3
Oração transformadora

QUANDO MEUS FILHOS eram pequenos, tentei várias vezes manter um ambiente agradável e acolhedor na hora do jantar, como naqueles cenários bucólicos dos quadros de Norman Rockwell. Eu escolhia o cardápio, procurava uma nova receita, comprava os ingredientes e preparava cada prato com muito amor e cuidado. Enquanto eu cortava os ingredientes, preparando-os para colocá-los na panela, ficava imaginando as conversas que teríamos no jantar e o ambiente calmo, tranqüilo e sem correria em torno da mesa.

Porém, na maioria das vezes, quando o jantar era servido este cenário bucólico se transformava em uma expressão artística moderna e perturbadora, que confunde os olhos e desnorteia os sentidos. Quando meus filhos estavam na adolescência, os compromissos escolares, os ensaios de teatro, os eventos esportivos e os programas sociais faziam com que eles engolissem rapidamente a comida e saíssem correndo. Muitas vezes eu mal havia começado a jantar quando eles saiam da mesa, deixando-me sozinha com o garfo suspenso sobre o prato. "Obrigado, mamãe, pela refeição", eles diziam ao sair. "Estava uma delícia, mas precisamos ir. Até mais tarde". Isso costuma acontecer na sua casa?

Mas durante as férias escolares, eu sempre procurava reservar um tempo para reunir a família, celebrar e compartilhar as refeições. Quantas histórias interessantes são servidas junto com a comida na hora do jantar, e como nos divertimos enquanto conversamos ao redor da mesa. O momento mais esperado é quando a sobremesa é servida. Parece que quanto mais tempo ficamos juntos em torno da mesa, mais à vontade nos sentimos. A conversa flui livremente, e compartilhamos histórias que, em outras circunstâncias, provavelmente não seriam mencionadas. Essas conversas em torno da mesa são realmente deliciosas!

Nosso Pai celestial também tem prazer nesses momentos que passamos ao seu lado, sem pressa, em que deixamos tudo de lado e conversamos de maneira franca e aberta. No entanto, geralmente estamos apressados e mal temos tempo para fazer uma refeição. Comemos algo rapidamente e nos despedimos de Deus dizendo: "Passo por aqui mais tarde, está bem?", enquanto corremos para cumprir o próximo item de nossa lista de coisas para fazer.

Muitas vezes, não ficamos tempo suficiente para jantarmos juntos.

Você tem dificuldade de permanecer em silêncio por algum tempo para ouvir a voz de Deus ou pensar sobre o que gostaria de contar a Ele? É difícil para você deixar de lado alguns de seus inúmeros afazeres diários, que consomem a maior parte do seu dia?

Neste capítulo, examinaremos quatro tipos de oração que transformarão sua vida e darão novo vigor ao seu tempo com Deus, tornando-a ansiosa por sentar-se à mesa e jantar com o Pai. Contudo, antes de verificarmos essas maneiras específicas de conversar com o Pai, vamos dar uma olhada naquilo que nos impede de orar e descobrir por que precisamos superar esses empecilhos.

Equilibrando pratos

Você já observou um equilibrista de pratos, daqueles que vemos no circo, equilibrando vários pratos ao mesmo tempo na ponta das varetas? Ele começa colocando o primeiro prato sobre a primeira vareta. Em seguida ele gira a vareta, fazendo com que o prato também gire até atingir o ponto de inércia, que o impede de cair. A seguir, ele faz a mesma coisa com a segunda vareta, repetindo o procedimento com todas as outras. Quando ele chega à sexta vareta, a primeira começa a bambear. A multidão grita, levando o equilibrista a correr para a primeira vareta no momento exato, a tempo de salvar o prato. Será que esta é uma boa ilustração de como tem sido sua vida? Você é tão ocupada que passa o dia correndo de lá para cá, tentando equilibrar todos os pratos, mas com freqüência sacrificando o primeiro, que é seu momento de oração com o Pai? Cuidado, pois sua vida agitada pode levá-la a não ter tempo para Deus lhe revelar sua vontade e seu amor. Se isso acontecer, você perderá o alimento que lhe permite enfrentar as dificuldades do dia-a-dia de forma confiante, por intermédio do Senhor. Você perderá a luz que Ele lança sobre todas aquelas coisas que a deixam confusa. Mais ainda, suas orações ficarão sem resposta.

No entanto, se você pensar bem, perceberá que sempre damos um jeito de ficar um tempinho com as pessoas que amamos. Mal posso esperar pelas tardes de sexta-feira, quando tomo conta de meu neto. Fico na expectativa daqueles momentos em que canto para ele e o levo para dar um passeio de carrinho pelas ruas, como uma avó orgulhosa.

Talvez nós não tenhamos esse mesmo entusiasmo para estar com Jesus. Sei que algumas vezes tenho de me esforçar para lembrar dos benefícios de gastar tempo com Jesus. Tenho orado muitas vezes, de forma pessoal, o anseio expresso por Paulo em Filipenses 3.10: "Senhor amado, quero conhecê-lo e conhecer o poder de sua ressurreição. Quero sentir seu toque. Quero amá-lo de forma mais intensa e íntima. Torne-me apaixonada pelo Senhor".

Gosto de pensar que a mesa de Jesus sempre está posta. Ele apenas está esperando que eu me junte a Ele. O escritor Warren Myers diz: "Nosso Pai, que está sempre pensando em nós, espera ansioso pela nossa visita, quer seja por alguns minutos, quer seja por meia hora ou por toda a tarde".[1] O fato de saber que

Deus está à minha espera me ajuda a separar um tempo para estar com Ele, da mesma forma que eu faria se soubesse que uma amiga está à minha espera com um delicioso chá, pronto para ser servido.

Um dos motivos de nossa dificuldade em separar um tempo para Deus é porque Satanás faz de tudo para nos manter longe do Senhor. Ele quer nos convencer de que para sermos espirituais precisamos ser produtivas. Ele não quer que ultrapassemos a linha invisível que nos levaria a orar de forma poderosa e capaz de transformar vidas. Se o inimigo conseguir nos convencer de que estar do lado produtivo da linha é fazer grandes coisas para Deus, então nossas famílias, as escolas de nossos filhos, nossa comunidade e nosso país serão pouco abençoados. No entanto, se cruzarmos essa linha para estar em comunhão com Deus, Ele moverá céus e terra para responder às nossas orações, e veremos grandes vitórias e a derrota de Satanás, pois ele sabe que nada pode contra nossas orações.

Decidindo orar

Descobri que para manter o zelo e a paixão pelas coisas de Deus tenho que deixar de lado tudo que me impede de orar. Como todas as outras coisas que nos trazem grandes benefícios, a oração requer disciplina. É uma questão que diz respeito à vontade. Tenho que decidir a cada dia se vou ou não dedicar parte do meu tempo a Deus. Não é uma decisão tomada de uma vez por todas.

Hoje pela manhã, apesar de ter muitos pratos para equilibrar nas varetas, decidi orar. Orei

> Descobri que para manter meu zelo e paixão pelas coisas de Deus tenho que deixar de lado tudo que me impede de orar.

para que Deus protegesse minha família, e como fiquei agradecida por ter separado um tempo para orar, pois enquanto eu escrevia este capítulo, fui interrompida por um telefonema de minha filha contando que havia acabado de bater o carro. Ela estava parada no sinal vermelho quando um jovem motorista entrou na traseira do seu carro. Após certificar-me de que ambos estavam bem, disse a ela quais as informações necessárias para o seguro e em seguida desligamos o telefone. Fiquei muito grata por não ter permitido que a agitação do dia-a-dia roubasse meu tempo de oração naquela manhã em que pedi a Deus que protegesse cada membro de minha família.

Quando você for decidir como distribuir seu tempo a cada dia, este poema poderá ajudá-la a enxergar através da perspectiva correta.

Correndo atrás do vento

Senhor, o dia foi tão agitado,
Que nem sequer parei para orar.
Agora, o dia já se finda,
E estou muito cansada para falar com o Senhor.

O ritmo da vida é muito agitado,
Fico tonta só de pensar no amanhã.
Já estou preocupada com o tempo
E com todas as coisas que preciso fazer.

Senhor, será que essa loucura um dia vai acabar,
Ou preciso sempre me esforçar para ficar de pé?
Espero ansiosamente o dia em que verei Jesus face a face,
Quando Ele abrirá seus braços para me dar um abraço.

Mas, quando Ele fitar profundamente meus olhos cansados,
Suas palavras podem me pegar de surpresa.
"Você tem vivido em um ritmo absurdo,
sinto dizer-lhe, mas você tem corrido atrás do vento."

"Você vive com pressa e está sempre afobada,
Mas tudo que Eu quero é ouvir sua oração.
Eu poderia ter colocado você debaixo das minhas asas
E lhe dado forças para fazer o que realmente importa."

É fácil descobrir a moral da história,
Jesus não quer o que está sobrando,
Ele quer toda a minha vida.

Diane Elliot

Sei que muitas mulheres concordam comigo quando falo sobre a importância de gastar tempo orando diariamente. No entanto, logo a seguir, elas confessam: "Não sei por onde começar. O que devo fazer em minha hora silenciosa?".

Os "Quatro Passos da Oração" têm me ajudado de maneira maravilhosa em minha hora de oração. Esses passos incluem: louvor, confissão, ações de graça e intercessão. Aprendi muito sobre oração seguindo esse esquema e continuo aprendendo à medida que o coloco em prática.

Neste capítulo, farei uma breve apresentação de cada passo, e nos demais analisarei mais detalhadamente cada um dos aspectos da oração.

A. Louvando a Deus

Inicie seu tempo de oração com louvor, focalizando um dos atributos de Deus ou alguma verdade sobre seu caráter. Seu relacionamento com o Senhor se tornará melhor quando você começar a louvá-lo, e você passará a ver as situações através das lentes de Deus.

Ruth experimentou essa verdade ao enfrentar uma situação adversa em sua vida. Ela mesma relata: "Minha primeira reação ao ouvir o diagnóstico de câncer de mama foi profundamente afetada pela idéia de me focalizar no louvor. Meu médico telefonou-me às duas da tarde informando-me do problema. Eu dispunha de pouco tempo para digerir a notícia, pois precisava pegar meus filhos na escola às três horas. As lágrimas rolavam pela minha face enquanto eu andava pela casa, de lá para cá, falando com Deus. Imediatamente, todos os atributos de Deus, pelos quais as mulheres de meu grupo de oração têm oferecido louvor a Ele, inundaram minha mente, assegurando-me que Deus era muito maior do que minha doença". O fato de Ruth ter trazido recentemente à lembrança quem era o seu Deus, fez com que ela fosse capaz de recuperar a calma e a confiança antes que seus filhos chegassem da escola. Quando eles entraram em casa, foram recebidos por uma mãe calma e confiante de que Deus estava no controle da situação.

Quando aprendemos a louvar a Deus pelos seus atributos, passamos a confiar cada vez mais nele. Afinal, nós só podemos confiar em uma pessoa que conhecemos. Quando louvamos o Senhor experimentamos, da mesma forma que Ruth, uma maravilhosa percepção da sua presença.

B. Confessando seus pecados a Deus

Depois do período inicial de louvor a Deus, vem o momento de confessar os pecados. Esta é a hora em que devemos examinar o coração e pedir ao Espírito Santo que nos revele se estamos fazendo alguma coisa que possa desagradar a Deus. Esta oração requer que sejamos completamente honestos com Deus. Se, conscientemente, não abandonamos o pecado (atitudes ou pensamentos que desagradam a Deus), estaremos impedindo nossa comunhão e nossa comunicação com Deus.

Susi tomou consciência de alguns pecados específicos durante um retiro em que fui preletora. Após ouvir minha palestra, ela me procurou dizendo: "Sua palestra ajudou-me a perceber o quanto eu tenho me recusado a perdoar meu marido. Sempre tive dificuldade em aceitá-lo como ele é; em vez disso, tenho me concentrado em suas fraquezas e defeitos. Tenho dado ouvidos às mentiras de Satanás e acreditado que se eu tivesse me esforçado para ser uma esposa melhor, meu marido seria um homem mais devoto. Isso tem me deixado ainda mais insatisfeita com meu marido e comigo mesma. Depois de ouvir sua palestra, fui para o quarto, e mal havia fechado a porta quando comecei a chorar e a confessar meus pecados a Deus. O peso de todos os outros problemas de nosso casamento foi aliviado imediatamente, graças ao fato de eu ter confessado toda a raiva que sentia de meu marido. Não vejo a hora de chegar em casa e pedir-lhe perdão por minha atitude e por minhas expectativas irreais em relação a ele".

Jesus nunca quis que carregássemos nossos pecados. Ele perdoou todos os nossos pecados na cruz. Susi humilhou-se diante do Senhor, confessou que estava arrependida e mudou sua atitude para com seu marido. Sua comunicação com o Pai, antes bloqueada e difícil, foi aberta pelo sangue de Jesus.

C. Agradecendo a Deus

O terceiro passo é oferecer ações de graças, expressando apreciação e gratidão a Deus pelas respostas de oração. Durante este período, não peça nada, somente agradeça. O apóstolo Paulo disse que devemos dar graças por tudo (1 Ts 5.18). A obediência a esta ordem produz um coração agradecido, que glorifica a Deus (Sl 50.23).

Mesmo se a resposta às suas preces não for como você esperava, sua gratidão demonstra confiança nos planos de Deus e elimina o medo e o desânimo. Um coração agradecido é humilde e confiante. A gratidão permite o benefício inestimável de descansar no Senhor. Geralmente, a gratidão também nos dá coragem e ânimo para suportar as adversidades que nos pegam de surpresa.

Lembro-me de ter passado por uma situação desse tipo na época em que morávamos no Canadá. Tínhamos acabado de comprar uma casa nova, o que considerávamos um milagre incrível. No dia em que a casa ficou pronta, toda a família entrou no carro, ansiosa para chegar à nova casa, sentindo uma mistura de alegria e emoção. Nunca havíamos morado em uma casa sem rachaduras nas paredes, vazamentos ou goteiras... Mas esta casa parecia não ter defeito algum; era simplesmente perfeita. Andamos rapidamente até a porta da frente. Trisha, que tinha três anos na época, correu na nossa frente e abriu a porta impetuosamente. O trinco bateu na parede, rachando o reboco e produzindo um rombo. Os construtores haviam esquecido de colocar protetores de borracha nas portas para evitar esse tipo de acidente. Trisha arregalou os olhos ao ver o estrago que tinha feito, e ficou tão branca quanto a parede.

Quando olhei para aquele rombo na parede, tomei uma decisão: agradeci a Deus, por intermédio de sua graça.

Depois disso, eu estava pronta para dar um abraço em Trisha e dizer-lhe que eu sabia que ela não havia feito aquilo de propósito. Até que consertássemos o estrago na parede, ele iria nos lembrar do entusiasmo de Trisha pela casa nova.

Talvez você esteja pensando que isso seja algo muito pequeno para dar graças, mas estou convencida que são exatamente as pequenas coisas que nos causam irritação e aborrecimento e nos fazem perder o controle. Deus continua me testando nas pequenas coisas, perguntando-me: "Você não vai agradecer?".

D. Intercedendo diante do Pai

Depois de louvar ao Senhor, confessar os pecados e dar graças, este é o momento de você se apresentar diante do Pai para interceder. Em poucas palavras, intercessor é aquele que pede a ajuda de Deus para alguém necessitado. O intercessor é aquele que se coloca na "brecha", diante do trono da graça, por uma necessidade específica ou por alguém em particular, até obter uma resposta.

Uma forma poderosa de interceder por alguém é orar inserindo seu nome nos versículos das Escrituras. Ao usar as palavras do próprio Deus, você estará orando de acordo com a sua vontade. Essa prática produz certeza e esperança em seu coração, e aumenta sua fé, à medida que você confia na promessa de Deus de que sua Palavra não voltará vazia, mas alcançará seu propósito (Is 55.10,11).

Pude comprovar essa verdade em minha vida quando orei fervorosamente por uma companheira para meu filho mais velho, Ty. Eu coloquei seu nome exatamente no trecho encontrado em 2 Coríntios 6.14 e pedi que Ty não se prendesse a um jugo desigual. Afinal, "que sociedade pode haver entre a justiça e a injustiça? Ou que comunhão pode ter a luz com as trevas?"

Quando Ty estava no colegial, vivia cercado de garotas, e estava sempre rodeando-as. Às vezes, ele trazia para casa uma garota bem bonitinha, meiga e muito simpática, mas que não amava Jesus. Eu a recebia com todo carinho, orava por sua salvação, convidava-a para jantar e, em seguida, "orava para que ela saísse da vida dele"! Minha oração era mais ou menos assim: "Deus, o Senhor, com sua onisciência, sabe se ela vai ou não aceitá-lo como Senhor e Salvador de sua vida. Se ela não aceitá-lo, peço que a afaste do caminho do meu filho". Perdi a conta de quantas garotas passaram pela porta de nossa casa naquela época, mas eu permaneci firme em oração.

Quando estava no segundo ano da faculdade, Ty dirigia o grupo de louvor da pequena igreja que freqüentávamos. Num domingo, no culto da manhã, notei uma bonita moça, vestida com um traje parecido com o de Anne[2] de Green Gables, entrando na igreja. Ela vestia uma saia verde, rodada, e uma jaqueta combinando com a saia. Sua aparência era agradável e recatada, e eu simplesmente não conseguia tirar os olhos dela. Soube depois que ela era de Kentucky e estava em San Diego para ser treinada pela equipe do *Student venture*, um ministério da Cruzada para Cristo.

No domingo seguinte ela voltou à igreja usando um lindo chapeuzinho; sua aparência transmitia tal inocência que eu orei baixinho: "Pai, o Senhor bem que poderia trazê-la para nossa família". Nove meses mais tarde, estávamos envolvidos com os preparativos do casamento de Ty e Patti.

Orei usando as palavras de 2 Coríntios 6.14 por cada um de meus filhos, pedindo que eles não entrassem num relacionamento de jugo desigual. Deus, em sua graça e bondade, trouxe para nossa família mais duas "filhas do coração", Bonnie e Tara, que amam o Senhor de todo o coração, de toda a alma e de todo o entendimento.

Enquanto isso, eu continuava orando por minha filha. "Deus, o Senhor prometeu não favorecer ninguém. Tenho ainda uma filha para casar — nossa querida Trisha. Peço-lhe que traga para Trisha um rapaz devotado, que ame ao Senhor de todo o coração e ame Trisha como Cristo amou a Igreja." Mais uma vez pude comprovar esta verdade de Deus na vida de minha família quando Trisha ficou noiva de Chris, um rapaz que ama verdadeiramente ao Senhor e a ela.

Mais adiante voltarei a tratar sobre o uso das Sagradas Escrituras em nossas orações. Mas o exemplo de como orei por meus filhos pode ajudá-la a começar sua jornada através da oração intercessória.

Vamos orar

Ao estabelecer um horário para se dedicar à oração e à leitura da Palavra, você irá aprofundar suas raízes no solo do amor de Deus. Mas para tomar esta importante decisão, você precisa ter disciplina. Se você deseja realmente manter este compromisso com o Senhor, ore comigo: "Pai, coloca em mim o desejo por conhecê-lo melhor. Ajuda-me a assumir o compromisso de separar um tempo para ficar a sós com o Senhor todos os dias. Em nome de Jesus, amém".

Como começar

A. Estabeleça um horário

Separe um tempo para Deus; ofereça a Ele a melhor parte do seu dia. Não deixe que coisas ou pessoas desviem sua atenção ou tentem apressá-la.

Colocando em prática:

Eu separarei ____________ (quantidade de tempo, em minutos ou horas) entre______e _____horas (escrever o horário escolhido).

B. Escolha um lugar

Escolha um lugar onde você possa ficar a sós com Deus. Evite tudo que possa distrair sua atenção (deixe que a secretária eletrônica pegue seus recados telefônicos durante este período). Deixe à mão Bíblia, caneta e um caderno para anotações.

Colocando em prática:

O lugar que escolhi é ____________________

Antes de tudo, procure ouvir o que Deus tem para lhe falar. Comece orando as palavras do Salmo 119.18: "Desvenda os meus olhos, para que eu veja as maravilhas da tua lei".

C. Planeje seu tempo de oração

Ore seguindo os quatros passos da oração:

Louvor — comece louvando a Deus por aquilo que Ele é.

Confissão — gaste um tempo examinando seu coração.

Ações de graça — é o momento de agradecer a Deus por tudo que Ele tem feito por você.

Intercessão — é quando você se coloca na brecha para clamar a Deus por pessoas e situações específicas.

A resposta de Deus

Quando você ora através desses quatro passos que transformam vidas, você deve ter em mente que suas orações são muito importantes para o Criador do universo. (O trecho a seguir foi adaptado de uma mensagem proferida pelo Rev. Ron Cline durante uma conferência missionária).

Milhares e milhares de anjos ao redor do trono de Deus, clamam com grande voz, "Digno é o Cordeiro, que foi morto, de receber o poder, e riqueza, e sabedoria, e força, e honra, e glória, e louvor!" (Ap 5.12).

> Nossas orações não ficam vagando pelo espaço, nem caem em completo esquecimento. Nosso Pai celestial, através de sua graça e misericórdia, está sempre pronto a ouvir nossas orações.

Toda criatura que está no céu, e na terra, e debaixo da terra, e no mar e todas as coisas que neles há também cantam, "Ao que está assentado sobre o trono, e ao Cordeiro, seja o louvor, e a honra, e a glória, e o domínio pelos séculos dos séculos" (Ap 5.13).

Mas, inesperadamente, Jesus os interrompe dizendo, "Silêncio, escutem... Alguém está orando. Minha filha está chamando por Mim.".

É difícil entender que nossas orações possam ser realmente tão importantes para Deus a ponto de Ele silenciar o louvor que as criaturas celestiais lhe oferecem, não é mesmo? Em Apocalipse 5.8 lemos que as orações dos santos estão guardadas em taças de ouro. Pense nisso, cada oração que fazemos é como um doce incenso ao Senhor, e cada uma delas é guardada em taças de ouro. Nossas orações não ficam vagando pelo espaço, nem caem em completo esquecimento. Nosso Pai celestial, através de sua graça e misericórdia, está sempre pronto a ouvir nossas orações.

Nossas orações alcançam a Deus. Ele considera seriamente cada uma delas, e responde a todas. Sua resposta pode ser "sim", às vezes pode ser "não", ou outras vezes pode ser "espere". Mas Ele sempre responde.

Por que orar?

Quando nós oramos, recebemos muitos outros benefícios além das respostas às nossas orações. Vejamos algumas das razões por que devemos orar:

Porque através da oração temos comunhão com nosso Pai celestial (Ap. 3.20).

Porque a oração glorifica a Deus (Jo 14.13).

Porque a oração nos livra de todas as nossas angústias (Sl 34.6).

Porque podemos receber a sabedoria de Deus (Tg 1.5).

Porque a oração derrota Satanás (Mt 18.18-20).

Porque aumenta a fé (Tg 5.17,18).

Porque a oração traz resultados (Tg 5.16; Mt 6.10).

Porque Jesus orava (Mc 1.35).

Como filhas de Deus, devemos estar prontas para atender ao seu maior chamado — o chamado para orarmos. Portanto, gostaria de encorajá-la a ter disciplina na prática da oração, orando mesmo quando não tiver vontade de orar. Haverá ocasiões em que suas orações parecerão monótonas e irreais. O escritor E. Stanley Jones comenta que em situações assim, é como se tivéssemos perdido o "brilho". Ele nos encoraja dizendo: "Fique firme, e o brilho voltará. Agindo assim, você irá firmar o hábito da oração em sua vida. Você estará aprendendo a ser uma pessoa que vive por princípios e não por impulso, que age de acordo com o compromisso que assumiu, e não porque lhe agrada. Ore sempre, mesmo quando você não estiver com vontade de orar".[3]

Conversar com nosso Pai é uma excelente oportunidade de experimentarmos sua presença, permitindo que Ele toque em nossos mais profundos níveis de necessidade. Neste capítulo, apresentei uma introdução de como conversar com Deus utilizando os quatro passos da oração — louvor, confissão, ações de graça e intercessão. Nos próximos capítulos, examinaremos detalhadamente cada um desses passos para então colocá-los em prática e descobrirmos como orar de forma a transformar vidas.

Pai celestial, obrigada porque o Senhor deseja manter uma comunhão íntima comigo. Ajuda-me a tomar a decisão de encontrar tempo para estar com o Senhor. Não me deixe esquecer dos benefícios duradouros da comunhão com o Senhor e da diferença que a oração pode fazer em minha vida e na vida das pessoas que eu amo. Que as palavras do Salmo 73 encontrem eco no meu coração: "A quem tenho eu no céu senão a ti? E na terra não há quem eu deseje além de ti. A minha carne e o meu coração desfalecem; do meu coração, porém, Deus é a fortaleza, e o meu quinhão para sempre. [...] Mas para mim, bom é aproximar-me de Deus; ponho a minha confiança no Senhor Deus, para anunciar todas as suas obras" (v.25,26,28). Em nome de Jesus, amém.

Parte II

Os quatro passos da oração

4

Louvor: Orando de acordo com os atributos de Deus

Uma professora do jardim da infância observava seus alunos enquanto desenhavam. Ocasionalmente, ela caminhava pela sala, para ver o que as crianças estavam desenhando. Ao se aproximar de uma garotinha bastante empenhada em seu trabalho, a professora perguntou-lhe o que ela estava desenhando. A menina prontamente respondeu: "Estou desenhando Deus". A professora parou por um momento e disse: "Mas ninguém sabe como Deus é". Sem levantar os olhos do papel, a menina replicou: "Pois quando eu terminar todos irão saber".

Você não gostaria de poder dar uma olhada nesse desenho? Felizmente, Deus nos deixou, ao longo das Escrituras, uma descrição de si mesmo, revelando-nos seu caráter. Podemos saber como Ele é aprendendo e estudando sobre seus atributos (atributo é uma qualidade de Deus revelada por Ele mesmo). Esse retrato que Deus nos apresenta é totalmente coerente. Deus é exatamente quem Ele diz que é. À medida que o conhecemos, sentimos um desejo cada vez maior de exaltar seu nome, honrá-lo e adorá-lo — e torná-lo conhecido por todos.

Jack R.Taylor, em seu livro *The hallelujah factor*[1] (*O fator aleluia*), resume da seguinte forma: "Louvar nada mais é do que reconhecer e confiar no poder soberano e na providência de Deus". Quando louvamos a Deus, estamos unindo nossas vozes a milhares de outras vozes, em um coro celestial. Como diz o salmista: "Os teus santos te bendirão" (Sl 145.10).

Devemos louvar ao Senhor enquanto vivermos, buscando o tesouro adquirido através do conhecimento de Deus. Louvar não é a mesma coisa que agradecer, pois louvar é adorar a Deus pelo que Ele é, enquanto que agradecer focaliza o que Ele tem feito por nós.

Nenhum pedido deve ser feito durante esse período inicial de oração. O escritor Dick Eastman afirma: "Ao orar, precisamos primeiramente dirigir nossa atenção a Deus, e só depois voltarmos nossa atenção para nós mesmos. [...] O louvor, por natureza, não é egoísta".[2]

Quando começamos nosso período de oração louvando a Deus adquirimos a perspectiva correta de que o Deus soberano e amoroso está em seu trono, no controle de todas as coisas. A realidade de seus atributos nos dá o firme fundamento sobre o qual nossas intercessões irão fluir. Esse é o momento sagrado em que somos encorajados a voltar nossa atenção para os atributos verdadeiros e imutáveis de Deus, em vez de focalizarmos as circunstâncias, que estão constantemente em mudança.

Mais perto de Deus

Quando eu não usava o esquema de oração em quatro passos em meu momento a sós com Deus, minhas orações consistiam principalmente de confissões e pedidos. Agora, porém, começo louvando a Deus. Com isso, tenho aprendido cada vez mais sobre Ele e experimentado a maravilhosa percepção de sua doce presença.

Mães de todas as partes do mundo têm me contado como o louvor a Deus levou-as a uma relação mais profunda e íntima com Ele. Lynna escreveu: "Ao me preparar para participar do momento de oração com meu grupo, tenho aprendido muito sobre os atributos e o caráter de nosso Senhor. Foi preciso um longo tempo para que eu percebesse que cada vez que pesquisava sobre os atributos de Deus para compartilhar com o grupo, na verdade eu estava aprendendo mais sobre o Senhor. E, quanto mais eu o conhecia, mais pessoal se tornava meu relacionamento com Ele".

Como têm sido suas orações? Você tem dedicado tempo para louvar ao Senhor por quem Ele é? Uma coisa que pode ajudá-la a incluir o louvor em suas orações é lembrar que todos nós gostamos de ser louvados. Dentro de cada um de nós existe o desejo de ser admirado, valorizado e respeitado por nossas virtudes e talentos. Mas nosso Pai celestial merece muito mais reconhecimento e admiração do que qualquer um de nós. Ele é o único que é justo em todos os seus caminhos (Sl 145.17), absolutamente sem pecado, sem uma mancha sequer. O salmista declara: "Não a nós, Senhor, não a nós, mas ao teu nome dá glória, por amor da tua benignidade e da tua verdade" (Sl 115.1). Quando glorificamos a Deus, ficamos admirados e maravilhados com sua santidade, somos consolados por sua soberana majestade, nos regozijamos por sua infinita onisciência e somos abençoados por sua graça e amor incomparáveis.

Quando glorificamos a Deus, ficamos admirados e maravilhados com sua santidade, somos consolados por sua soberana majestade, nos regozijamos por sua infinita onisciência e somos abençoados por sua graça e amor incomparáveis.

O que devemos fazer para louvar ao Senhor? Descobri que o melhor lugar para nos ensinar a louvar ao Senhor são as Escrituras. Nos Salmos, Davi expressa de forma eloqüente seu amor e sua adoração ao Senhor. Ele sempre parece descobrir um aspecto diferente da natureza de Deus. Quando leio suas palavras, eu ofereço-as de volta, do fundo do meu coração, ao Senhor. "Pai celeste, o Senhor é 'bondoso e compassivo', 'tardio em irar-se e de grande benignidade. O Senhor é bom para todos e as suas misericórdias estão sobre todas as tuas obras'." (Sl 145.8,9).

Em outra ocasião, escolho um atributo diferente, como a fidelidade, e procuro versículos que falam sobre como o Senhor é fiel (posso usar uma concordância bíblica ou um dos livretos publicados por *Moms in touch* [*Mães em contato*] para pesquisar sobre os atributos de Deus). A leitura dos versículos faz brotar em meu coração uma oração: "Ó Senhor, grande é a tua fidelidade, e incomparável. A fidelidade é intrínseca ao teu caráter. O Senhor é fiel em tudo e sempre. Teus caminhos são perfeitos, e tuas promessas são certas e seguras. Eu exaltarei teu nome, pois o Senhor cumprirá todas as suas promessas e nunca irá se desviar de sua fidelidade. O Senhor não muda. Tuas misericórdias e tua compaixão nunca falham. O Senhor é fiel para prover todas as minhas necessidades. Eu o louvo e o adoro, pois o Senhor é um Deus fiel".

Louvar pode ser tão simples quanto declarar: "Deus, o Senhor é fiel", "Deus, o Senhor é santo", ou "Pai, o Senhor é Deus de amor".

Outras fontes de louvor

Além das Escrituras, gosto de ler sobre a vida dos grandes servos de Deus. A leitura de alguns clássicos como Oswald Chambers, E. M. Bounds e Charles Spurgeon me faz enxergar novos aspectos para louvor ao Senhor, e a linguagem desses livros me leva imediatamente, às alturas. Talvez seus autores prediletos sejam diferentes dos meus ou então você tem preferência por autores mais contemporâneos, como Dick Eastman ou Max Lucado.

Charles Spurgeon aquece nossos corações ao louvar a Deus por sua bondade com essa oração: "Sua bondade transparece na criação. Ela brilha em cada raio de sol, reluz em cada gota de orvalho, sorri em cada flor e sussurra em cada brisa. Terra, céu e mar estão repletos de incontáveis formas de vida, e todas são plenas da bondade do Senhor. O sol, a lua e as estrelas declaram que o Senhor é bom, e tudo que há na terra confirma esta proclamação".[3]

Será que podemos nos unir a ele e dizer, de todo coração: "Amém, louvado seja o Senhor"? Quanto mais aprendemos a louvar verdadeiramente o Senhor, mais natural isso se torna.

Outra maneira maravilhosa de louvar ao Senhor é declamando ou cantando algum hino antigo. Um dos meus hinos favoritos é "Quão profundo é o amor de Jesus". Observe a beleza de suas palavras:

Oh, quão profundo é o amor de Jesus,
Enorme, imensurável, infinito, generoso!
Como as águas de um imenso oceano
em sua plenitude, envolvendo-me
completamente, assim
é a corrente desse amor;
Conduz-me adiante, leva-me para casa,
Para o meu glorioso descanso nos céus.

Oh, quão profundo é o amor de Jesus,
Seu louvor se estende por todo o mundo!
Ele nos amou, e sempre amará,
Pois seu amor não muda, nunca mudará;
Ele zela pelos seus amados,
Morreu para torná-los seu povo;
Ele intercede por eles,
Assistindo-os de seu trono.

Samuel Trevor Francis

O conforto oferecido pelos atributos de Deus

Se nos empenharmos em louvar diariamente a Deus, descobriremos que para cada necessidade, cada problema, cada fracasso ou desafio que tivermos de enfrentar, alguns atributos brotarão em nossos corações, dando-nos a paz e a força necessária para sermos vitoriosos.

Uma mãe descobriu que o louvor a Deus levou-a a superar a mágoa que ela sentia por sua filha. Deixemos que ela mesma nos conte sua história:

> Quando minha filha Marci tinha apenas quinze anos de idade, certa noite, ela não voltou para casa depois do trabalho. Ela tinha decidido sair de casa em busca de uma vida com mais "liberdade", para ir morar com uma amiga, que vivia de forma desregrada. Essa decisão levou-a a adotar um estilo de vida imoral e a ter problemas com a bebida. No dia seguinte de sua saída de casa, era dia de reunião do meu grupo de *Moms in touch* (*Mães em contato*). Começamos a reunião daquele dia louvando a Deus porque Ele é quem nos guarda. O Salmo 145 afirma que o Senhor "preserva todos os que o amam, mas a todos os ímpios Ele os destrói"(v.20). Louvei a Deus por este atributo, pois sabia que Ele estava preservando minhas emoções e protegendo a vida de minha filha do mal. Durante nosso momento de intercessão, oramos de acordo com o Salmo 121.7,8, colocando o nome de minha filha no texto das Escrituras: "O Senhor guardará [Marci] de todo o mal;

ele guardará a vida [da Marci]. O Senhor guardará a saída e a entrada [da Marci], desde agora e para sempre".

As escolhas erradas de Marci levaram-na a ficar quatro anos fora de casa, mas durante todo esse tempo Deus guardou-a e confortou-me através de sua Palavra. Por fim, minha filha voltou para casa, e a convivência que perdemos durante os anos de sua adolescência foi retomada quando ela já estava com vinte anos. Doze anos depois, no verão passado, nós estávamos ao seu lado no dia em que ela se casou com um jovem por quem vínhamos orando. O casamento de Marci aconteceu no mesmo dia em que completávamos trinta e quatro anos de casados. Sim, Deus é quem nos guarda; Ele é fiel em ouvir e responder nossas orações em favor de nossos filhos quando descansamos nele.

Com freqüência, é nos momentos difíceis da vida que podemos conhecer melhor o Senhor. Ele nos traz para perto de si através do louvor. Como Spurgeon afirma,

> É durante a tempestade que aprendemos a dar "graças ao Senhor pela sua benignidade, e pelas suas maravilhas para com os filhos dos homens!" (Sl 107.8). Se dependesse apenas da minha vontade, eu desejaria que minha vida transcorresse tão calma quanto uma noite de verão, quando apenas uma leve brisa balança as flores. Desejaria que nada atrapalhasse a serenidade e a tranqüilidade de meu espírito. [...] Porém, não poderíamos enxergar a grandeza da bondade de Deus se não víssemos quão profundo é o poço de onde Ele nos tirou.[4]

De fato, nós preferiríamos não ter que passar pelas tempestades da vida, mas é na tempestade que encontramos Deus, e é ali que Ele transforma nosso medo em fé.

Rle e eu passamos por uma situação terrível quando nosso filho Troy tinha três anos de idade. Certo dia, Troy acordou com febre. Enrolei-o num cobertor e levei-o ao médico, achando que ele estava com uma crise de amidalite. Mas depois de examiná-lo, percebi que o médico estava preocupado. Ele me disse que havia sentido um intumescimento na região abdominal de Troy, mas como estava em dúvida sobre o provável diagnóstico, preferia chamar um outro médico para examiná-lo. Depois que os dois médicos o examinaram, eles chegaram à conclusão de que provavelmente Troy estava com problemas no baço, mas não podiam afirmar isso com certeza. Depois de discutirem o caso, eles concordaram sobre a necessidade de uma série de exames de raios X.

Atordoada com tudo que estava acontecendo, acompanhei Troy até a sala de raio X. Os exames revelaram que o rim direito estava obstruído e o esquerdo estava cheio de substâncias tóxicas. O que começou como uma visita rotineira ao médico se transformou num pesadelo.

As semanas seguintes foram repletas de exames e visitas a vários médicos. Por fim, ficou decidido que o rim esquerdo de Troy teria de ser removido, deixando-o apenas com o rim direito.

Por fim, chegou o dia em que Troy seria operado. Havia um grande nó na minha garganta, e as lágrimas rolaram pelo meu rosto na hora em que a equipe médica veio buscá-lo com uma maca para levá-lo até o centro cirúrgico. Eu me senti completamente impotente ao vê-lo naquela maca; não poderia mais tocá-lo, consolá-lo, orar com ele ou cantar para ele. Naquele momento, me vi forçada a deixar a vida de meu filho nas mãos de Deus.

Quando comecei a orar e a buscar intensamente o Senhor, o atributo divino que transformou meu medo em fé foi o fato de que Deus é o Criador. Ele criou Troy da maneira como ele é. Nunca esta verdade havia ecoado tão profundamente em meu coração.

Fiquei na sala de espera durante três horas, mergulhada na Palavra de Deus, desejando ouvi-lo falar ao meu ansioso coração. Procurei encher minha mente com louvores a Deus, o Criador. Inseri o nome de Troy no Salmo 139.13-16, e orei: "Pai, eu o louvo porque foi o Senhor que criou o Troy. O Senhor fez todas as partes internas e delicadas de seu corpo e entreteceu-o em meu ventre. Obrigada por ter formado Troy de um modo tão admirável e maravilhoso! Quando penso sobre todas essas coisas, fico maravilhada. Tuas obras são maravilhosas — e eu sei disso muito bem! O Senhor estava lá quando Troy, no oculto, foi formado! Os teus olhos o viram antes que ele nascesse e o Senhor planejou cada dia de sua vida antes que ele existisse. Todos os dias da vida de Troy foram registrados em Seu Livro!"

Enquanto eu louvava a Deus, o Criador, alguma coisa aconteceu em meu espírito, e senti a paz de Deus aquecendo meu coração como se fosse um manto. Posso testemunhar que se nos apegamos a Deus teremos paz (Jó 22.21). Outros textos das Escrituras confortaram meu coração naquele momento, e continuei a oferecer meu louvor a Deus. Quanto mais eu louvava ao Senhor, mais fácil se tornava, para mim, descansar nele, até que depositei totalmente a vida de meu filho nos braços de Deus.

Durante esse período de tribulação, Deus colocou em minha mente um versículo que me tocou poderosamente: "Não preciso temer, pois há alguém que ama Troy com perfeito amor, e esse amor lança fora o medo do que possa vir a acontecer com meu filho. Se tenho medo, isso demonstra que não estou aperfeiçoada no amor nem totalmente convencida do amor de Deus por Troy" (1 Jo 4.18).

Enquanto eu louvava a Deus, o Criador, alguma coisa aconteceu em meu espírito, e senti a paz de Deus aquecendo meu coração como se fosse um manto.

Deus respondeu às inúmeras orações em favor de Troy, e seu rim esquerdo foi removido sem maiores complicações. Nos próximos seis meses, o rim direito passou por vários exames para verificar se a obstrução não estava piorando. Pela graça de Deus e seu propósito divino para a vida de Troy, o rim direito foi totalmente curado. Hoje, ele está com trinta e um anos de idade, e seu rim direito está funcionando muito bem.

A decisão de louvar a Deus ajudou-me a tirar os olhos das circunstâncias e a colocá-los em Deus, a afastá-los da batalha para fixá-los no Vencedor. Como disse Jeosafá: "Não temos força para resistirmos a essa grande multidão que vem contra nós, nem sabemos o que havemos de fazer; porém os nossos olhos estão postos em ti" (2 Cr 20.12).

Todos nós sabemos que teremos que enfrentar dificuldades, aflições, ansiedade, doenças, solidão, abandono, desilusões. Quando isso acontecer, o que você fará? Você tem "praticado" oferecer louvor ao Senhor?

Conheço algumas pessoas que têm enfrentando duras provações e grande sofrimento. Uma mãe está desanimada por causa de sua filha rebelde e drogada, que está na prisão. Outra mulher acabou de ouvir de seu marido que ele está deixando-a. Uma família tem lutado para sobreviver emocionalmente ao acidente fatal de um filho. Uma esposa está enfrentando a dor e o desespero pela perda súbita de seu marido. Uma jovem mãe de quatro crianças soube recentemente que está com câncer no cérebro. É, viver nesse planeta não é nada fácil...

Os benefícios do louvor

Deus ordena que o louvemos. Nosso louvor não somente glorifica ao Senhor como também nos traz benefícios.

Doreen Tomlin não imaginava que Deus lhe pediria um "sacrifício de louvor" (Jr 17.26b-BKJ). Como diz Joni Eareckson Tada: "Algumas vezes nossa oferta de louvor envolve um custo, pois louvar a Deus em meio ao sofrimento torna o louvor muito mais glorioso".

O filho de Doreen, John, foi um dos alunos assassinados na escola de Columbine. Como uma mãe pode suportar tamanha perda? Que palavras poderiam trazer consolo ao seu coração? Perguntei-lhe certa vez o que a ajudou a enfrentar esse período difícil. Ela me disse: "Assim como o gato se agarra à árvore para não cair, eu me firmei, fervorosamente, nos atributos de Deus. De todos eles, o mais significativo para mim foi saber que Deus é onisciente, isto é, Ele sabe tudo que acontece".

Algumas vezes, ela se deu conta que estava ruminando a idéia de "e se". *E se nós não tivéssemos mudado para aquela cidade? E se ele estivesse estudando em outra escola?* Mas seus pensamentos nunca a levavam ao desespero, pois ela praticava há mais de dez anos o hábito de louvar ao Senhor por seus atributos.

Ela encontrou consolo nestes textos das Escrituras: "Ó profundidade das riquezas, tanto da sabedoria, como da *ciência* de Deus! Quão insondáveis são os seus juízos, e quão inescrutáveis os seus caminhos!" (Rm 11.33; grifo da autora); "Diz o Senhor que faz estas coisas, que são *conhecidas* desde a antiguidade" (At 15.18 grifo da autora); "Pois eu bem *sei* os planos que estou projetando para vós" (Jr 29.11 grifo da autora); "Quão preciosos me são, ó Deus, os seus pensamentos! Quão grande é a soma deles!" (Sl 139.17).

Deus revelou a Doreen sua onisciência, inclusive seu conhecimento do que iria acontecer com o filho dela. Ela decidiu confiar nesse Deus que sabe todas as coisas e conhece tudo — passado, presente e futuro. Louvar a Deus ajudou-a a dominar a dor e concedeu-lhe paz, mesmo em meio ao sofrimento, tornando seu louvor ainda mais glorioso.

Vamos orar

Louvor é um tempo poderoso da oração quando o nome de Deus, seus atributos e seu caráter são adorados. Quando aprendemos a louvar verdadeiramente a Deus, nosso relacionamento com Ele se torna mais íntimo e agradável, pois o Senhor anseia revelar-se a nós através do louvor.

Como louvar

1.*Escolha um atributo*. (Uma lista dos atributos de Deus e de suas respectivas passagens nas Escrituras encontra--se nas páginas 288 a 292. Um diário de oração para sua hora silenciosa também pode ser encontrado na página 293. Essa lista poderá ajudá-la a organizar seu período de oração) Usaremos aqui, à guisa de exemplo, a onisciência de Deus.

2.*Verifique no dicionário a definição para esse atributo*. Ex: "Onisciente: que tem saber absoluto, pleno; que tem conhecimento infinito sobre todas as coisas" (Houaiss).

3.*Procure nas Escrituras alguns textos relacionados a este atributo*. Você pode usar uma concordância bíblica para ajudá-la a localizar as passagens, ou consultar a lista dos textos das Escrituras que de maneira geral se encontra no final das Bíblias.

4.*Leia os textos das Escrituras*. Romanos 11.33 trata da onisciência de Deus: "Ó profundidade das riquezas, tanto da sabedoria, como da ciência de Deus! Quão insondáveis são os seus juízos, e quão inescrutáveis os seus caminhos!".

5.*Ore com os textos das Escrituras, oferecendo-os como louvor a Deus. Louve ao Senhor pelo que Ele lhe revelou*

sobre si mesmo. "Pai celestial, fico maravilhada com a profundidade de sua sabedoria. Seu conhecimento é tão rico e profundo que vai além de minha compreensão. O Senhor sabe todas as coisas e as conhece instantaneamente. Eu o louvo, pois sei que não há nada que o Senhor desconheça. Regozijo-me ao saber que em sua suprema sabedoria, todas as coisas e todas as situações resultam em meu benefício. Sua sabedoria é verdadeiramente maravilhosa demais para que eu a compreenda. Não compreendo seus caminhos, mas confio em ti. Eu o louvo, Senhor, pois conheces todas as coisas. Em nome de seu Filho Jesus, amém."

6. ***Descubra outros textos das Escrituras e ore através de suas palavras.*** Através da prática desse exercício diário de louvor, você irá conhecer cada vez mais o Senhor.

Dissipando poder, desfazendo mentiras

Satanás não quer que tenhamos vitória sobre as situações adversas. Sua intenção é fazer com que duvidemos do amor de Deus. Ele se esforça para tentar destruir nosso conceito de Deus e se for bem-sucedido em seu intento, nós nos tornamos fracos, temerosos e descrentes. É por essa razão que devemos procurar conhecer cada vez mais a Deus. O louvor a Deus, na verdade, dissipa o poder de Satanás. Quando falamos a verdade sobre Deus, descrevendo quem realmente Ele é, nossa oração desfaz as mentiras de Satanás. Se acreditarmos em suas mentiras, elas podem nos destruir. "O louvor [...] faz Satanás sair correndo", diz o autor Dick Eastman. "Ele não pode suportar a presença de Deus. Onde Deus está presente? O Salmo 22.3 nos diz que Deus está 'entronizado sobre os louvores de Israel'."[5]

Desenvolver uma vida de louvor é desenvolver imunidade aos ataques do inimigo. Paul Billheimer vai mais adiante quando diz, "Satanás é alérgico ao louvor, portanto quando há abundância de louvores triunfantes, Satanás é paralisado, amarrado e banido".[6] Por sinal, foi isso que Jesus fez em Mateus 4.8-10. Quando Ele foi tentado, respondeu: "Vai-te, Satanás; porque está escrito: ao Senhor teu Deus adorarás, e só a Ele servirás".

O rei Jeosafá enfrentou uma situação terrível. Três exércitos estavam a caminho para lutar contra o povo de Judá. Depois de buscar o Senhor e consultar os líderes do povo, ele traçou um plano: o inimigo seria derrotado através do louvor. Um coro iria liderar a marcha contra o inimigo. O rei designou os que haviam de "cantar ao Senhor e louvá-lo vestidos de trajes santos", Quando eles se colocassem diante do exército, deveriam dizer: "Dai graças ao Senhor, porque a sua benignidade dura para sempre" (2 Cr 20.21). Um coro, dando louvores a Deus, diante do exército? Será que isso iria funcionar?

Veja só o que aconteceu: "Ora, quando começaram a cantar e a dar louvores, o Senhor pôs emboscadas contra os homens de Amom, de Moabe e do Monte Seir, que tinham vindo contra Judá; e foram desbaratados" (2 Cr 20.22). Quando damos louvores a Deus, Ele intervém poderosamente, dissipando o poder de Satanás e garantindo a vitória.

Leia a seguir como o inimigo tentou atacar a fé de Marlae quando ela passou por uma situação aparentemente sem solução com sua filha.

No verão de 1999, meu marido e eu fomos levar nossa filha de dezessete anos ao aeroporto, onde ela iria tomar um avião e viajar cerca de quatro mil quilômetros até chegar à casa de sua tia. Nossa filha estava enfrentando uma fase dificil, tomando decisões erradas e passando a maior parte do tempo ao lado de más companhias. Através de conselhos de amigos fiéis ao Senhor e de muita oração, Deus nos mostrou que deveríamos mandá-la para longe de casa, confiando e orando para que a distância e a firmeza do nosso amor tocassem seu coração. Ainda me lembro do peso que carregava em meu coração aquele dia.

Por essa e por outras razões, aquele deveria ter sido o pior verão de minha vida, mas quando olho para trás, vejo que foi o melhor. Naquele verão, tomei a decisão de concentrar-me a cada manhã em um dos atributos de Deus. Isso me levou a experimentar uma sensação de paz e de confiança em Deus como nunca antes havia experimentado. Aprendi que se eu mantivesse meus olhos no Senhor e lembrasse diariamente (algumas vezes, a toda hora) que Ele é fiel e constante e está sempre ao meu lado, seria capaz de enfrentar toda e qualquer situação, inclusive aquela com minha filha.

Nada é tão poderoso quanto o louvor. Louvar ao Senhor é oferecer a Ele a glória que lhe é devida. O louvor nos leva a conhecer melhor o coração de Deus e nos faz olhar para cima — colocando nosso pensamento nas coisas do alto. O louvor transforma nossa atitude; torna-nos conscientes da presença de Deus; derrota Satanás; libera o poder de Deus; gera uma perspectiva vitoriosa; providencia a paz; elimina o sentimento de auto-indulgência, desânimo e depressão; fortalece o coração e elimina a ansiedade. Quando louvamos a Deus, descobrimos que há esperança mesmo para aquelas situações aparentemente impossíveis. Louvemos o nome do Senhor!

"Bem-aventurado o povo que conhece o som festivo, que anda, ó Senhor, na luz da tua face, que se regozija em teu nome todo o dia, e na tua justiça é exaltado" (Sl 89.15,16).

Ó Deus Todo-Poderoso, derrama teu Santo Espírito sobre mim, para que os olhos do meu coração sejam iluminados e eu possa conhecê-lo através do poder do louvor. Dá-me um coração pleno de louvor, para que eu possa adorá-lo com um coração puro. Que eu possa buscá-lo de todo coração e sentir a doce manifestação da tua presença. Que eu possa orar como A. W.Tozer: "Profetas e salmistas, apóstolos e santos têm-me encorajado a crer que posso conhecer o Senhor até certo ponto. Portanto, seja o que for que o Senhor quiser me revelar sobre si mesmo, que eu esteja pronto a buscá-lo como a um tesouro mais precioso do que rubis ou como ouro refinado"[7]. Amém.

5
Confissão:
Removendo o entulho

Linda estudava num seminário bíblico, mas, mesmo assim, sentia que estava faltando alguma coisa em seu caminhar com o Senhor. Ela não sabia bem o que era, mas sentia que alguma coisa não estava certa. Até que ao ouvir uma palestra sobre confissão de pecados em um retiro, ela compreendeu o que estava acontecendo. "Percebi que nunca havia aprendido a lidar com o pecado em minha vida. Tinha conhecimento de Deus e da Bíblia, mas, de alguma forma, não havia compreendido ainda que todas as vezes que pecava, precisava confessar e abandonar o pecado naquele momento".

Antes de descobrir isso, Linda preparava uma lista de pecados para serem confessados no fim do dia, ou no fim da semana, ou quando tinha tempo para isso. "Freqüentemente eu esquecia alguns pecados que precisavam ser confessados sempre que separava um tempo para levar meus pecados diante do Senhor", comentou Linda. "Eu tinha uma coleção de pecados para tratar, e não sabia como fazer isso, mas agora, louvo o Senhor, pois sei bem o que devo fazer — e faço imediatamente".

E quanto a você? Será que você sabe o que fazer com os pecados que tem cometido contra Deus? Você tem empilhado esses pecados em seu coração até sentir que suas orações não têm valor diante de Deus? E quanto àqueles pecados que você considera como realmente grandes? Você sabe como trazê-los diante de Deus e limpar seu coração?

Uma mulher contou-me que depois de ter aprendido a confessar seus pecados, pela primeira vez ela se sentiu verdadeiramente perdoada. Ela havia feito um aborto quando tinha dezessete anos, e apesar de ter pedido perdão muitas e muitas vezes por isso, ela nunca poderia voltar atrás na decisão que havia tomado. Assim, apesar de ter um marido amoroso e dois filhos lindos, ela se sentia culpada. Então, depois de ouvir uma palestra sobre perdão e confissão, ela disse: "Não conseguia lembrar de ninguém que eu precisasse perdoar. Até que me dei conta que eu precisava perdoar a mim mesma. Senti como se um grande peso fosse tirado dos meus ombros. Aquela palestra me fez conhecer o coração amoroso de Deus".

Quaisquer que sejam nossos pecados, sejam eles os atos cometidos no dia-a-dia e pensamentos que precisam ser trazidos diante do Senhor, sejam aqueles que abrigamos em nosso coração por anos a fio, precisamos separar um tempo regularmente para confessá-los. Isto ajuda a nos purificar e a liberar nossa comunicação com o Senhor. Essa é a razão pela qual incluímos um período de confissão em nossos quatro passos da oração.

Tornando-se um vaso limpo

Para que nossa oração seja eficaz e poderosa, precisamos ser vasos limpos. Nesse período de oração, pedimos que o Espírito Santo nos revele se há alguma coisa que tem nos impedido de manter um relacionamento vital com Jesus e uma vida poderosa de oração.

Dick Eastman, em seu livro *The hour changes the world* (*A hora que muda o mundo*), diz: "De acordo com as Escrituras, não há vida de oração eficaz quando o pecado mantém seu domínio sobre a vida do crente. Essa é a razão pela qual a confissão é tão importante para nossa vida de comunhão com o Senhor e deve ser introduzida logo no início na oração".[1]

Michelle ansiava para que seu relacionamento pessoal com Jesus fosse vibrante e íntimo; assim, ela passou a considerar seriamente aquelas coisas que a impediam de experimentar tudo o que Deus queria que ela fosse. Conforme ela mesma relata:

> Como posso descrever o que aconteceu comigo depois de ouvir aquela palestra? Perguntei a mim mesma: O que estava morto em meu caminhar com o Senhor e precisava renascer? Como andava minha sensibilidade para com o pecado? Ai, isso sempre me

incomodava. O sangue de Jesus não livra da culpa, mas limpa o pecado confessado. Algumas das questões levantadas levaram-me a perguntar a mim mesma: Será que os outros me consideram uma pessoa altruísta? Solícita? Atenciosa? Paciente? Pronta a perdoar?

Durante um período de confissão particular, sentei-me em uma pedra na ensolarada San Diego e entreguei o controle da minha vida ao Senhor. Deixei de lado minha autoconfiança, minha incapacidade para perdoar, minha impaciência e meu egoísmo. Confessei todos esses pecados a Jesus e Ele tirou um enorme peso das minhas costas. Fiz uma lista enumerando todos os meus pecados e escrevi sobre eles: "Jesus derramou seu sangue por esses pecados".

Sinto-me renovada e purificada, como se tivesse passado pelo fogo. Nunca chorei tanto, mas nunca me senti tão bem. Ansiava por isso há muito tempo.

Removendo o entulho

Neemias foi chamado por Deus para motivar, desafiar e liderar os filhos de Israel durante a reconstrução dos muros de Jerusalém, que haviam sido destruídos pelos invasores inimigos. A obra era monumental. Neemias observou que os trabalhadores estavam perdendo o vigor, pois havia tanto entulho que eles não conseguiam reconstruir o muro (Ne 4.10).

Que entulho era esse? Pedaços de pedras que um dia fizeram parte do muro de Jerusalém. Para que o muro pudesse ser reconstruído, antes era preciso remover todo o entulho. Assim como Michelle, precisamos remover o entulho para desenvolvermos uma relação com o Senhor. Esse entulho são nossos pecados, que nos incapacitam e tiram nossa motivação para seguirmos adiante em nossa jornada com Cristo. O pecado impede nosso relacionamento com Deus e quebra nossa comunhão com Jesus.

Satanás comemora quando isso acontece. Ele é o inimigo de nossas almas e faz tudo que pode para nos separar de nosso Amado e nos impedir de orar. O pecado também impede que tenhamos um ministério eficaz junto aos nossos familiares e amigos, e ainda rouba o poder e a alegria que temos em Cristo. Os entulhos que amontoamos ao longo da vida impedem que nos entreguemos totalmente a Jesus, por isso nos sentimos tantas vezes esgotados, sem vigor, indiferentes, ou até mesmo insensíveis, desamparados e deprimidos. O pecado não confessado traz vergonha, esgotamento físico e sentimento constante de culpa (Sl 32.3,4).

Livrando-se da destruição

Como filhos de Deus, somos libertos da destruição do pecado por meio de Jesus. Deus, para satisfazer sua ira contra o pecado, deu a vida de seu Filho. Precisamos nos lembrar que, como filhos de Deus salvos pelo sangue de Jesus, somos santos diante de Deus. Ele não vê mais o meu pecado ou o seu; Ele vê apenas o sangue de Jesus que levou todos os nossos pecados. Assim, podemos permanecer diante de Deus como santos. Gosto da promessa encontrada em 2 Coríntios 5.21: "Àquele que não conheceu pecado, Deus o fez pecado por nós; para que nele fôssemos feitos justiça de Deus".

Sua posição significa que você sempre será filha de Deus. Você recebeu uma nova natureza no momento em que passou pela experiência da salvação (2 Co 5.17). Mas sua velha natureza ainda está em você, e as duas naturezas lutam uma contra a outra. A cada momento você precisa decidir quem irá governar seu coração, Cristo ou seu próprio ego. Desta forma, sua "condição" pode variar conforme o momento, podendo tanto ser "em Cristo" como em você mesma.

Para Cristo reinar em sua vida, você precisa tratar seus pecados diariamente. Mas isso não quer dizer que antes de dormir você precisa recordar tudo que aconteceu durante o dia para saber onde pecou. Significa apenas que no momento em que o Espírito Santo lhe revelar algum pecado, você deve confessá-lo. Admita perante Deus que você pecou, concordando com o Senhor que aquilo que você fez ou disse estava errado.

Assim que o Espírito Santo convencê-la de seu pecado, você precisa confessá-lo. A autora Jennifer Kennedy Dean chama isso de "momento da crucificação". É nesse momento doloroso, mas importante, que você decide reagir de acordo com o Espírito. Nas palavras de Dean: "Quando você decide colocar a culpa nos outros ou se sente oprimida pelas circunstâncias que estão além de seu controle, você ressuscita sua velha natureza. Por outro lado, se você decide não levar em conta as circunstâncias e aceita a obra de crucificação do Espírito, sua velha natureza começará a morrer e no lugar dela irá surgir uma nova natureza".[2]

Além de confessar o pecado, você precisa também se arrepender. Joy Dawson, em seu livro *Intimate friend ship with God* [*Relacionamento íntimo com Deus*], explica isso muito bem: "Podemos confessar o pecado, chorar amargamente de remorso e lamentar pela confusão em que ele nos colocou, mas, ainda assim, não nos arrependermos de tê-lo cometido. Arrependimento significa mudança de mente, implica mudar seu coração e sua atitude em relação ao pecado".[3]

Apesar de concordar com Deus que você pecou, se você não demonstrar arrependimento, é porque a transformação em seu coração não foi verdadeira. Paulo confirma isso em Atos 26.20: "Antes anunciei [...] que se arrependessem e se convertessem a Deus, praticando obras dignas de arrependimento". Só haverá mudança se a confissão for sincera.

Quando não atendemos à convicção do Espírito Santo em relação ao nosso pecado, não podemos ouvir os apelos que Deus quer colocar em nosso coração. Muitas vezes, arrependo-me de meu pecado de tal forma que meu coração se torna receptivo à voz de Deus quando Ele me diz como orar por meus filhos. Deus sabe quando eles necessitam de oração imediata. Eles podem estar enfrentando tentação, ou situação de perigo ou precisando de sabedoria para enfrentar uma situação difícil. Porém, preciso ser um canal limpo para que o Espírito Santo coloque em meu coração por que e como devo orar.

Quantas oportunidades de influenciar a vida de outras pessoas foram perdidas porque não nos arrependemos de nossos pecados nem lidamos com ele imediatamente. Imagino quantas de nossas orações não foram atendidas porque deixamos de limpar o entulho. Isaías 59.1,2 afirma: "Eis que a mão do Senhor não está encolhida, para que não possa salvar; nem surdo o seu ouvido, para que não possa ouvir; mas as vossas iniqüidades fazem separação entre vós e o vosso Deus; e os vossos pecados esconderam o seu rosto de vós, de modo que não vos ouça".

Separada de Jesus

O pecado não só nos impede de ter uma vida de oração eficaz e frutífera, como também obstrui nossa comunicação com Jesus. Ao enfrentar uma crise familiar pude descobrir o quanto isso é verdadeiro.

Certa manhã, o dia parecia estar começando bem. Depois de deixar as crianças na escola eu pretendia voltar para casa e gastar um bom tempo com o Senhor. Ansiava por desfrutar esse doce momento para escutar a voz do Pai e depositar a seus pés todas as minhas aflições.

Mas sabe o que aconteceu? Naquela manhã Rle e eu tivemos um desentendimento. Não me recordo exatamente do motivo, mas lembro-me que fiquei irritada com ele, e ele comigo. Quando Rle e eu discutimos, não atiramos coisas nem gritamos um com o outro; apenas não nos falamos mais. Assim, o clima entre nós se torna cada vez mais frio, até respingar gelo por toda a casa. Naquela manhã em particular, eu não sabia o que fazer. Queria gastar um tempo em comunhão com Deus, mas essa frieza em relação a Rle me incomodava. Achei que deveria dizer algumas palavras civilizadas antes que ele saísse para o trabalho.

Assim, disse-lhe casualmente: "Tenha um bom dia", e saí em direção ao quarto para ter um tempo de intimidade com Jesus. Quando abri a Bíblia, orei o

Salmo 119.18: "Desvenda os meus olhos, para que eu veja as maravilhas da tua lei".

Foi então que Deus falou ao meu coração:

"Fern, o que você está fazendo?".

"Oh, Pai, mal posso esperar o que o Senhor vai me revelar em Sua palavra esta manhã".

"Mas, e o Rle?"

"O que tem o Rle?", eu sabia onde aquela conversa ia chegar.

"Você sabe, aquele homem que no momento você não gosta muito. Aquele homem por quem você está nutrindo sentimentos rancorosos".

Bem, achei que deveria contar ao Senhor o meu lado da história. Aprendi que posso muito bem dizer ao Senhor o que estou pensando porque, de qualquer forma, Ele já sabe mesmo. Disse ao Senhor: "Deus, o Senhor viu o que aconteceu. Se Rle não tivesse dito aquilo, eu certamente não teria reagido da maneira como reagi. Talvez eu esteja um pouquinho errada, mas com certeza ele é o maior culpado".

Então o Senhor me falou: "Fern, sua salvação não depende de seu marido, nem sua vida com Deus. O que você chama de "um pouquinho" é motivo suficiente para você chamar Rle e lhe pedir perdão".

Minhas duas naturezas começaram a lutar dentro de mim. Eu não queria falar com Rle, apesar de saber que nossa comunhão estava interrompida. Deus nos diz em 1 Samuel 15.22 que obedecer é melhor do que sacrificar. Eu sabia que Deus queria minha obediência.

Tentei obedecer parcialmente ao dizer palavras gentis antes de Rle sair de casa para trabalhar. Mas

Deus queria minha obediência total. Como eu deveria agir? Em Mateus 5.23-25 Deus nos diz o que devemos fazer: "Portanto, se estiveres apresentando a tua oferta no altar, e aí te lembrares de que teu irmão tem alguma coisa contra ti, deixa ali diante do altar a tua oferta e vai reconciliar-te primeiro com teu irmão, e depois vem apresentar a tua oferta. Concilia-te depressa com o teu adversário".

Será que eu estaria pronta a deixar morrer meu ego, meu orgulho, minha vontade e obedecer à Palavra de Deus, mesmo sem sentir vontade de fazer isso? Não é espantoso pensar que Deus deixaria de ter comunhão conosco só porque Ele deseja que seus filhos amem uns aos outros? Note o que Ele diz: "Se andarmos na luz, como ele na luz está, temos comunhão uns com os outros, e o sangue de Jesus seu Filho nos purifica de todo pecado" (1 Jo 1.7). Um bom teste para saber se estamos andando na luz é observar nosso relacionamento com outras pessoas.

Fiquei pensando: *Como poderia fazer com que Rle me perdoasse sem precisar lhe dizer: "Você me perdoa?"*. Não imaginava como poderia fazer isso. Não é fácil pedir perdão. Eu teria que enfrentar meu orgulho. "Senhor, ajude-me", clamei. "Não consigo fazer isso. Só Jesus é capaz de fazê-lo. Quero morrer para meu ego, mas é muito difícil. Peço-lhe que me ajude, através da ação do Espírito Santo em mim, a ser obediente à sua vontade".

Apesar de não sentir nenhum entusiasmo ou emoção, em obediência a Deus telefonei para meu marido e lhe disse: "Rle, você me perdoa por eu ter reagido daquela maneira hoje de manhã?" Assim que terminei de falar comecei a me sentir melhor. O orgulho passou para o banco de trás e a humildade assumiu a direção.

Rle perdoou-me prontamente e, a seguir, pediu-me que o perdoasse também. Bem, devo admitir que naquele momento ocorreu-me um pensamento: *por que ele não me pediu perdão primeiro?* Recusei-me a perder tempo com esta questão e disse apenas: "Até logo, eu te amo". Eu estava livre. Livre da culpa. Meu ego foi derrubado com uma pancada quando admiti meu pecado e reconciliei-me com Rle. Eu estava na luz. O Espírito Santo agora poderia revelar as verdades da Palavra de Deus ao meu coração, pois ele estava livre de entulho.

Perdoando os outros

Em Mateus 18.21,22, Jesus apresenta um duro relato do que acontece às pessoas que não perdoam. Pedro perguntou ao Senhor quantas vezes ele deveria perdoar seu irmão que pecou contra Ele. Ele achou que estava sendo generoso quando sugeriu "até sete vezes", pois isso significava quatro vezes mais do que os líderes religiosos da época recomendavam.

Fico imaginando o espanto de Pedro ao ouvir a resposta de Jesus: "Não te digo que até sete; mas até setenta vezes sete". Em outras palavras, tantas vezes que você não conseguiria contar, tantas vezes quanto for necessário — não há limite para o perdão.

Em seguida, Jesus contou uma história. Um rei ameaçou colocar na prisão um servo que lhe devia milhões de reais. Diante disso, o servo ajoelhou-se perante o rei e implorou: "Seja paciente comigo, e eu lhe pagarei tudo". O rei ficou com pena dele, cancelou o débito e deixou que ele partisse. Ao sair dali, aquele servo encontrou um outro servo que lhe devia uma pequena quantia. Ele o agarrou pelo pescoço e ordenou: "Pague-me!" O pobre servo implorou por misericórdia, mas ele ignorou seus apelos e colocou-o na prisão até que pagasse toda a dívida.[4]

Quando o rei tomou conhecimento dessa grande injustiça, pediu que o servo sem misericórdia fosse trazido à sua presença. O rei então lhe disse: "Servo iníquo, cancelei todos os seus débitos, pois você me implorou que assim o fizesse. Você não deveria ter tido a mesma misericórdia para com aquele servo?".

Nesse ponto, poderíamos exclamar alegremente: "Amém!", concordando com o senso de justiça do rei. Afinal, como esse servo pôde agir de modo tão terrível, especialmente depois de ter sido perdoado?

Mas, pense comigo, será que você e eu não somos culpadas desse mesmo pecado? O que Jesus queria mostrar com essa história? Na verdade, Ele queria mostrar que você foi perdoada de um grande débito. Pela misericórdia de Deus, todos os seus pecados foram pagos no Calvário. De fato, não existe débito maior do que os pecados do mundo inteiro. Que grande perdão! Assim, você precisa fazer o mesmo e demonstrar misericórdia para com os outros, mesmo que eles não mereçam. David Daniels diz isso da seguinte maneira: "Nosso pecado é enorme, incalculável. Os pecados que as pessoas cometem contra mim são minúsculos se comparados aos meus pecados contra Deus. Portanto, perdoar meus devedores deveria ser um transbordamento do perdão que já recebi do Senhor".[5]

Vejamos agora, de acordo com Mateus 18, as conseqüências de nos recusarmos a perdoar e a limpar o entulho do nosso coração. O rei indignado entregou o servo "aos verdugos, até que pagasse tudo o que lhe devia" (v.34). Verdugos! Esta é uma expressão bastante forte, com conseqüências terríveis. Verdugo significa "carrasco" ou "torturador". O palestrante Bill Gothard diz: "Verdugos são as emoções destrutivas que nos torturam, tais como depressão, medo, preocupação e raiva. Deus permite que sejamos afligidos por esses sentimentos para nos levar ao arrependimento, até aprendermos a perdoar".[6]

Isso é verdade, não é mesmo? Quando você odeia uma pessoa e se recusa a perdoá-la, achando que ela o feriu de tal forma que é impossível restaurar o relacionamento, essa pessoa está constantemente em seu pensamento, e controla sua vida. Você não consegue esquecer o que aconteceu, e aquela terrível cena está sempre diante de seus olhos. Se você não perdoá-la, você ficará presa em aflição, torturada pelas emoções destrutivas.

O salmista nos relata as conseqüências de rebelar-se contra a palavra de Deus: "Assentaram-se nas trevas e na sombra mortal, aflitos, acorrentados, pois se rebelaram contra as palavras de Deus e desprezaram os desígnios do Altíssimo" (Sl 107.10,11 NVI). Ninguém gostaria de ficar em tal lugar!

O que devemos fazer? O Salmo 107.13,14 diz: "Então clamaram ao Senhor na sua tribulação, e ele os livrou das suas angústias. Tirou-os das trevas e da sombra da morte, e quebrou-lhes as prisões". Você tem cadeias que precisam ser quebradas? A quem você está algemado? Clame ao Senhor e reconheça que você não é capaz de perdoar. Especifique qual pecado você cometeu: amargura, ódio, condenação? Saia para a claridade para que você possa ver o pecado da forma como Deus o vê. Depois, clame pelo sangue de Jesus Cristo. O perdão só é possível por meio do sangue de Jesus. Ele nos deixa alvos como a neve. Como diz a letra de um velho hino: "O que pode limpar meu pecado? Nada, a não ser o sangue de Jesus. O que pode me tornar novamente íntegra? Nada, a não ser o sangue de Jesus".

A seguir, arrependa-se de seu pecado e peça para Deus enchê-la com seu Santo Espírito. Agradeça a Deus pelo seu perdão, conforme a promessa de 1 João 1.9: "Se confessarmos os nossos pecados, ele é fiel e justo para nos perdoar os pecados e nos purificar de toda injustiça".

Libertando-se do ressentimento

Uma das grandes batalhas que toda mulher precisa enfrentar é a luta contra a tendência de guardar ressentimento ou mágoa do marido. Em um relacionamento tão íntimo, o sentimento de traição pode facilmente se instalar. No entanto, isso pode conduzir ao pecado. Aprendi a orar imediatamente por Rle quando estou ressentida com ele. Isso muitas vezes não é fácil e requer determinação de minha parte, mas permite que nos aproximemos e me impede de nutrir sentimentos pecaminosos.

Uma das coisas mais difíceis dentro de um relacionamento conjugal é perdoar o cônjuge. O problema que tive com Rle ilustra bem essa questão. Isso é especialmente verdadeiro quando você não vê mudança no comportamento ou nas atitudes de seu marido. O verdadeiro perdão deixa a questão de lado e mantém seu coração limpo diante do Senhor. Isso é amor em sua expressão plena. É desse tipo de amor que 1 Coríntios 13 fala: "O amor é paciente, o amor é bondoso. Não inveja, não se vangloria, não se orgulha. Não maltrata, não procura seus interesses, não se ira facilmente, *não guarda rancor*" (NVI; vv. 4,5; ênfase da autora).

Você sabe que deve amar seu marido, no entanto, muitas vezes você apenas o tolera. Talvez você possa argumentar: "Falar é fácil, mas você não conhece meu marido! Você não sabe o que eu passo com ele". O Senhor sabe, e Ele se importa com isso. No entanto, Ele diz que você precisa respeitar seu marido, apoiá-lo, auxiliá-lo e encorajá-lo. Deus quer libertar você do pecado e da culpa para que você possa ser esse tipo de esposa para seu marido. (Certamente quando as circunstâncias envolvem uma situação abusiva, você deve procurar se proteger).

Como você pode restaurar o amor por seu marido? Hábitos antigos e pecaminosos devem ser substituídos por novos. Não conheço nenhuma maneira melhor de usar a Palavra de Deus. Toda vez que você for tentada a nutrir pensamentos críticos, maldosos e depreciativos por seu marido, ore por ele. Romanos 12.2 afirma: "E não vos conformeis a este mundo, mas transformai-vos pela renovação da vossa mente". A melhor maneira de transformar sua mente é mantê-la afastada do pecado e enchê-la com a Palavra por intermédio da memorização. O salmista testifica: "Escondi a tua palavra no meu coração, para não pecar contra ti" (Sl 119.11). Quando pecamos, é contra Deus que pecamos. Davi expressa esta verdade no Salmo 51.4: "Contra ti, contra ti somente pequei, e fiz o que é mau diante dos teus olhos". Recomendo que você memorize e ore em favor de seu marido o texto de Colossenses 1.9-11:

> Por esta razão, nós também, desde o dia em que ouvimos, não cessamos de orar por vós, e de pedir que sejais cheios do pleno conhecimento da sua vontade, em toda a sabedoria e entendimento espiritual; para que possais andar de maneira digna do Senhor, agradando-lhe em tudo, frutificando em toda boa obra, e crescendo no conhecimento de Deus, corroborados com toda a fortaleza, segundo o poder da sua glória, para toda a perseverança e longanimidade com gozo.

Se você se sujeitar a essa disciplina, seu coração impuro irá se tornar como o do Senhor. Você passará a enxergar seu marido como os olhos de Deus, e o amará como Deus o ama. Mas não fique desanimada se isso não acontecer da noite para o dia. Se você obedecer ao Senhor, Ele, em sua fidelidade, gradualmente transformará seu coração.

Se você foi ferida profundamente por alguém, gostaria de lhe deixar uma palavra de encorajamento. Pare agora mesmo e ore para que Deus lhe revele se você tem alguma questão não resolvida para tratar com alguém. Algum nome veio à sua mente? Quais seus sentimentos em relação a essa pessoa? Talvez essa pessoa tenha manchado seu nome acusando-a falsamente. Você é a parte ferida, aquela que foi prejudicada. Palavras podem ferir profundamente, e você pode lembrá-las por anos a fio. Assim, como é possível amenizar essa dor?

Há alguns anos, passei por uma situação desse tipo. Nunca poderia imaginar o que teria que enfrentar ao participar de uma reunião com uma importante líder cristã, a quem eu admirava, amava e respeitava. Pois essa mulher lançou falsas acusações contra mim, afirmações sem nenhum fundamento. Fiquei completamente desolada. Senti um frio no estômago, e meu coração disparou. De onde haviam saído todas aquelas informações falsas?

Sem saber o que fazer, fiz uma rápida oração: "Ajude-me, Pai. Não sei o que fazer". O Senhor me fez lembrar do texto em que Jesus, ao ser acusado, não abriu a boca para se defender (Mc 14.61). Senti que o Senhor estava dizendo para eu não me defender, para ficar calada e não procurar me justificar, pois Ele tomaria conta da situação. Fiquei quieta. Saí da reunião arrasada, ferida e magoada, mas em paz, pois tinha agido conforme o Senhor havia me ordenado.

Ao chegar em casa, conversei com o Senhor sobre o que havia acontecido. Eu não queria ficar amargurada e não queria que Satanás tirasse proveito da situação para prejudicar meu ministério ou o de minha acusadora. Li 1 Pedro 3.9: "Não paguem mal por mal. Nem retribuam àqueles que dizem coisas desairosas sobre vocês. Em vez disso, orem para que Deus ajude os tais, pois devemos ser bondosos para com os outros, e Deus nos abençoará por isso"(Bíblia Viva).

Em obediência à Palavra e pela graça de Deus, ajoelhei-me e, em meio a muitas lágrimas, orei pela felicidade, bem-estar e proteção de minha acusadora. No início, tive que fazer esta oração várias vezes por dia, pois minha mente estava mortificada com o incidente. Orei para que Deus defendesse minha honra e para que a reconciliação acontecesse logo. Com o passar dos dias, essa oração deixou de ser um ato de obediência e o amor pela pessoa que pronunciou aquelas palavras começou a fluir do meu coração enquanto orava por ela. O perdão passou da minha mente para o meu coração. Percebi que realmente desejava que aquela pessoa fosse feliz e bem-sucedida. Se ela tivesse algum ressentimento contra mim, isso iria prejudicar sua vida espiritual e seu ministério, e eu não queria que isso acontecesse. Queria que nos reconciliássemos. A partir desse dia, minhas orações passaram a expressar um desejo sincero pela felicidade e bem-estar daquela pessoa.

Alguns anos mais tarde, nós nos encontramos "acidentalmente" em um pequeno grupo de oração. No momento reservado para confissão de pecados, essa querida pessoa começou a pedir perdão a Deus pelas acusações que havia feito contra mim. Ela usou o período reservado para confissão de pecados para derramar seu coração diante de Deus. Ninguém no grupo sabia do que ela estava falando, apenas eu. Após o período de oração, nós nos abraçamos e ela perguntou-me, baixinho, se eu poderia perdoá-la. Eu havia orado por esse momento durante tanto tempo! Agora, graças ao fato de eu ter obedecido à Palavra anos atrás, podia dizer a ela: "Eu amo você e já a perdoei há muito tempo".

Pecado reincidente

Algumas de vocês podem estar pensando: *Parece que estou sempre cometendo o mesmo pecado. Isso não quer dizer que não posso ser perdoada, mas sou atacada por outros pecados, e não consigo parar de cometê-los. Tenho sempre de confessar o mesmo pecado.*

Bem, continue confessando todas as vezes que você pecar. Mas você pode argumentar, "Será que Deus não fica cansado de me ouvir pedir perdão sempre pela mesma coisa?" Não, o sangue de Jesus está sempre pronto a nos purificar. Não importa quantas vezes você já pecou, o sangue de Jesus pode cobrir todos os seus pecados, presentes e futuros. Não há nenhum pecado que não possa ser limpo pelo sangue de Jesus, restaurando assim a comunhão com os outros e com Deus. O perdão de Deus é completo e está sempre disponível. Se você parar de tratar o pecado, seu coração ficará cheio de entulho, e se tornará frio e indiferente.

> Se você parar de tratar o pecado, seu coração ficará cheio de entulho, e se tornará frio e indiferente.

Qual seu pecado mais constante? Comer em excesso? Ir às compras para aliviar o estresse ou o tédio? Fazer fofocas? O pecado por si só pode parecer pequeno, mas com freqüência, ele é sinal de um problema mais profundo e mais sério. Lembro-me de certa ocasião em que precisei lutar para me controlar ao fazer biscoitos de chocolate, os meus favoritos. Enquanto os biscoitos estavam no forno, precisei lutar com meu autocontrole. Mas, descobri que o autocontrole pode nos abandonar no momento em que mais precisamos dele. Naquela ocasião, eu estava determinada a não cometer excessos. Mas o cheiro das bolachas quentinhas foi demais para mim. Sucumbi à tentação, como em tantas outras vezes. Depois que comi até ficar satisfeita, me senti culpada por ter pecado novamente. Desanimada com minha derrota, corri para o Senhor e orei: "Pai, aqui estou novamente para lhe pedir perdão pelo pecado da glutonaria". Mas foi como se Deus me dissesse: "Novamente? O que você quer dizer com isso?".

"Ah, o Senhor sabe o que eu quero dizer, já lhe pedi perdão várias vezes por esse motivo", suspirei.

"Não sei do que você está falando."

Veja bem, o que Deus queria que eu entendesse é que todas as vezes que eu lhe pedi perdão, Ele me perdoou e não se lembrou mais do meu pecado (Hb 8.12). Assim como Ele me perdoou e não ficou remoendo o passado, Ele espera que eu tenha essa mesma atitude com os outros.

Você precisa relembrar que Deus está sempre pronto a perdoá-la? Ou quem sabe você precisa perdoar alguém da mesma forma generosa que o Senhor a tem perdoado?

Lembre-se, não importa quantas vezes você já pediu perdão ao Senhor, Ele sempre irá perdoá-la. "Se confessarmos os nossos pecados, ele é fiel e justo para nos perdoar os pecados e nos purificar de toda injustiça" (1 Jo 1.9).

Todas as vezes que confessamos nossos pecados, nós somos perdoados. Esta história de Ron Mehl ilustra maravilhosamente esta verdade:

> Nada entusiasma mais um bando de garotos do que a chegada da primeira grande nevada do inverno. Eles organizam exércitos de bonecos de neve, constroem fortalezas com a neve, fazem guerras de bolas de neve, comem rosquinhas de neve e se divertem o mais que podem.

Poucas horas depois da nevada já não é possível encontrar nenhuma área coberta de neve, graças às centenas de garotos empenhados em fazer bonecos de neve, batalhas de arremessos ou jogar futebol com bolas feitas de neve. Toda a neve encontrada na vizinhança é usada, pisada, jogada para longe, raspada ou guardada na geladeira. A linda paisagem que todos avistaram de suas janelas pela manhã agora parece mais uma zona de guerra do Ártico ou um buraco coberto por cascalhos congelados.

Portanto, agora, já não é mais tão divertido brincar ali. Depois de procurar em vão por algum lugar ainda coberto de neve, eles voltam para casa e vão para a cama, cansados — e um pouco tristes, porque a confusão que fizeram transformou a vizinhança, que até pouco tempo atrás era de uma brancura imaculada, em um grande lamaçal.

No entanto, Deus trabalha no turno da noite. Quando todos acordarem na manhã seguinte, notarão que algo maravilhoso aconteceu: a paisagem estará novamente coberta de neve. Neve recente, bonita, cobrindo tudo ao redor. Um oceano branco.

Os bonecos de neve, as fortificações, os túneis e campos de batalha estarão cobertos de neve, como se nunca tivessem existido. É um novo começo. O passado ficou para trás.[7]

Esta é uma clara descrição do pecado confessado! Podemos, certamente, provocar confusão e fazer com que nosso coração se torne sujo e feio. No entanto, quando admitimos nosso pecado, somos cobertos pelo sangue de

Jesus, assim como a neve fresca cobre de branco toda a paisagem. Ele faz novas todas as coisas.

Perdoando a você mesma

Pela fé, cremos que Deus nos perdoou, mas, algumas vezes, por causa da perversidade do pecado e das conseqüências que temos de enfrentar, temos dificuldade para perdoar a nós mesmas. Vamos dar uma olhada mais de perto no texto de 1 João 1.9. Ele não diz nada sobre a natureza do pecado. Não menciona nenhum pecado como sendo imperdoável. Não faz referência à autopunição. Não está escrito em lugar algum que só podemos ser perdoados se não temos consciência dos nossos atos. O versículo simplesmente diz: "Se confessarmos os nossos pecados, ele é fiel [...] para nos perdoar". Se você confessar _____ (aborto, adultério ou qualquer outra coisa que você considera ruim demais para ser perdoada), Ele é fiel para perdoá-la e limpá-la de seu pecado. Não fique desanimada se você não se sentir perdoada. Não devemos nos deixar levar por nossos sentimentos, mas pelas promessas de Deus.

Ouvi a história de uma mulher que lutava para perdoar a si mesma. Ela fez uma cruz e colocou-a no quintal de sua casa. Toda vez que Satanás se levantava contra ela para acusá-la, ela ia até o quintal, apontava para a cruz e dizia: "Eu resisto a você, Satanás. Eu fui perdoada". Ao sair dali, ela tinha certeza, mais uma vez, que havia sido perdoada. Essa mulher decidiu acreditar na verdade de Deus em vez de dar ouvidos às mentiras de Satanás. Há um tremendo alívio quando a culpa se vai. O salmista declara: "Bem-aventurado aquele cuja transgressão é perdoada, e cujo pecado é coberto. Bem-aventurado o homem a quem o

Senhor não atribui iniqüidade, e em cujo espírito não há dolo" (Sl 32.1,2).

Para ajudá-la a distinguir entre o chamado de Deus para limpar o entulho e as acusações de Satanás para fazê-la se sentir culpada, lembre-se: a convicção vem de Deus; a condenação vem de Satanás. Deus revela nossos erros para nos livrar do pecado; Satanás nos acusa constantemente para nos manter prisioneiras dos nossos pecados.

Dando o exemplo

A confissão do pecado — remover o entulho — é um legado maravilhoso que podemos deixar para nossos filhos. Se a imagem que eles têm de nós é de pessoas orgulhosas, soberbas e que nunca admitem seus erros, eles provavelmente terão essas mesmas tendências.

Lembro-me que certa vez meu filho Travis e eu tivemos um desentendimento. Detesto quando há pendências não resolvidas entre nós. Assim, orei: "Senhor, o que posso fazer para resolver essa questão?" Deus falou ao meu coração: "Você sabe bem o que deve fazer, você não ouviu o que Travis tinha para lhe dizer. Você tirou conclusões apressadas a partir de fatos presumidos. Você escutou somente o que queria escutar".

A confissão do pecado — remover o entulho — é um legado maravilhoso que podemos deixar para nossos filhos. Se a imagem que eles têm de nós é de pessoas orgulhosas, soberbas e que nunca admitem seus erros, eles provavelmente terão essas mesmas tendências.

Diante disso, fui falar com Travis e pedi a ele que me perdoasse por tudo que o Espírito Santo me convenceu que eu havia feito.

Ele me perdoou, e nossa comunhão foi restaurada. Pouco tempo depois, tivemos outro desentendimento. Mais uma vez perguntei ao Senhor se eu deveria pedir perdão a Travis. Dessa vez o Senhor ficou em silêncio. Naquela noite, quando fui me deitar, encontrei um bilhete em cima do travesseiro, dizendo: "Mamãe, nem sempre podemos olhar nos olhos um do outro, mas sempre podemos olhar para o coração. Te amo. Travis".

Vamos orar

1. **PEÇA** para Deus examinar seu coração e revelar se existe algo que não o agrada. "Sonda-me, ó Deus, e conhece o meu coração, prova-me, e conhece os meus pensamentos; vê se há em mim algum caminho perverso, e guia-me pelo caminho eterno" (Sl 139.23,24).

2. **ESCREVA** seus pecados em uma folha de papel à medida que o Espírito Santo for lhe revelando. (Sugiro que você desenhe uma cruz sobre sua lista de pecados para lembrá-la que todos os seus pecados já foram perdoados por intermédio do sangue de Jesus Cristo, que morreu por nossos pecados).

3. **CONFESSE** e **ARREPENDA-SE** de seu pecado. "Confessar" significa concordar com Deus que você pecou. "Arrepender-se" significa mudar de atitude em relação ao pecado para que sua mente e seu coração sejam transformados.

4. **ESCREVA** o texto de 1 João 1.9 no alto de sua lista de pecados como uma forma de você expressar que crê na promessa de Deus referente ao pecado. "Se confessarmos os nossos pecados, ele é fiel e justo para nos perdoar os pecados e nos purificar de toda injustiça."

5.**AGRADEÇA** a Deus por Ele ter perdoado você através da morte de Cristo na cruz. Ao agradecer, você está expressando, pela fé, que acredita que Deus a perdoou.

6.**RASGUE** o papel e jogue-o fora! "Porque serei misericordioso para com suas iniqüidades, e de seus pecados não me lembrarei mais" (Hb 8.12).

Com este exercício, ficará gravado em seu coração e em sua mente, de uma vez por todas, que Deus a perdoou. Você não precisa mais se sentir culpada! Se você confessar todos os pecados que reconhece ter cometido, e ainda assim se sentir culpada, saiba que essa culpa não vem de Deus, mas de Satanás. Firme-se nas promessas de Deus, não em seus sentimentos.

Essa foi a maneira de meu filho dizer: "Você me perdoa?" Não podemos deixar que o orgulho prejudique o relacionamento que Deus deseja que tenhamos com nossos familiares.

Em nosso grupo de oração, oramos para que nossos filhos saibam reconhecer o pecado e confessá-lo, e anseiem por restabelecer a comunhão, quando necessário. Leia a seguir o relato de uma mãe sobre uma resposta de oração:

> Pedi a Deus para que tornasse o coração de meus filhos sensíveis à orientação e correção do Espírito Santo. Orei, usando as palavras do Salmo 32, para que não houvesse dolo no espírito deles (v. 2), para

que reconhecessem o pecado rapidamente, em vez de encobri-lo (v. 5), e para que Deus os instruísse e os ensinasse a andar em seus caminhos (v. 8).

Certo dia, Frances, que ainda estava no jardim da infância, veio me contar, com um semblante desapontado, que havia mentido para sua professora. Parei o que estava fazendo e escutei a história que ela tinha para me contar.

Meses atrás, um pouco antes do Natal, a professora havia dito às crianças que poderiam trazer moedinhas de dez centavos para fazer compras na "lojinha" da classe. Lá elas poderiam comprar sobras de material, purpurina e outros artigos para decorar as árvores de natal que haviam montado. Frances levou apenas uma moedinha de dez centavos, mas quando percebeu a variedade de artigos maravilhosos que estavam "à venda", ela disse à professora que tinha trazido vinte centavos para gastar. Como ninguém procurou conferir quantas moedinhas cada criança realmente tinha levado, a mentira dela passou despercebida — mas estava incomodando-a há meses!

"O que você acha que deve fazer?", perguntei a ela.

"Bem, acho que preciso pedir perdão para minha professora e entregar-lhe os dez centavos", ela respondeu.

Marquei um horário com a professora e fomos juntas conversar com ela. A professora (graças a Deus!) entendeu o princípio de nossa atitude e considerou seriamente a confissão de Frances, abraçando-a e recebendo a moedinha de dez centavos que ela havia trazido. Não pude conter as lágrimas ao refletir sobre a atitude de minha filha e percebi que Deus havia respondido às minhas orações de acordo com o Salmo 32.

Naquela noite, antes de ir para a cama, Frances aconchegou-se em meu colo, sorridente, e disse: "Estou tão feliz por ter contado o que fiz para minha professora! Agora eu não preciso mais me preocupar com isso!"

Alguma coisa está incomodando você? Existe algo se colocando entre você e Deus ou entre você e alguma outra pessoa? Se houver, remova o entulho! Arrependa-se. Quanto mais você se agarra ao pecado, mais ele a mantém prisioneira. Deus quer libertá-la dessa prisão. Você só precisa confessar seu pecado para Deus derramar poder sobre sua vida. Sua comunhão com o Pai Celestial vale o esforço para livrar-se do entulho. A vitória é sua através do sangue de Jesus. Ele espera que você venha até Ele com o coração arrependido, para que possa experimentar a plenitude do seu perdão e do seu amor. Não se demore, venha logo.

Querido Pai de misericórdia, torna--me sensível à ação do Espírito Santo em minha vida convencendo-me do pecado. Que eu não tente escondê-lo ou justificá--lo, e esteja pronta a confessá-lo e a me arrepender, crendo que o sangue de Jesus me purifica de todo pecado. Ajuda-me a perdoar os outros da mesma forma que

o Senhor me perdoou. Purifica-me, para que meu coração esteja atento ao que o Senhor quer que eu faça. Faz de mim alguém em quem o Senhor pode confiar e que ora segundo o coração de Deus. Dá-me um coração humilde para que eu possa clamar como o salmista: "Sonda--me ó Deus, [...]; vê se há em mim algum caminho perverso" (Sl 139.23,24).

Ó Pai, ajude-me a remover todo o entulho para que eu possa glorificar ao Senhor. Em nome de Jesus. Amém.

6
Ação de graças: A expressão de um coração agradecido

QUANDO MEU FILHO TROY tinha cerca de três anos, ele sempre pedia para fazer a oração antes do jantar. Ele saía de sua cadeira, andava ao redor da mesa, apontava todos os itens e orava: "Deus, obrigado pelas batatas, obrigado pelo feijão, obrigado pelo leite, obrigado...", continuando assim até agradecer ao Senhor por todos os alimentos. Quando começávamos a comer, a refeição já estava morna.

Deus havia mostrado ao jovem coração de Troy a importância de ser uma pessoa agradecida. Como dizem as Escrituras: "Em tudo dai graças; porque esta é a vontade de Deus em Cristo Jesus para convosco" (1 Ts 5.18). Da perspectiva de Troy, Deus havia providenciado alimento para um garotinho faminto.

Dar graças é o terceiro passo da nossa oração. Quando passamos do período de louvor para a confissão, estamos seguindo uma tendência natural, pois depois de adorarmos a um Deus santo, queremos ter certeza de que estamos justificados diante de seus olhos. Assim, após a confissão, nós expressamos gratidão pela misericórdia de Deus por Ele nos ter perdoado dos nossos pecados.

Ao agradecer ao Senhor, estamos expressando nossa alegria e gratidão por tudo que Ele tem feito por nós. Lembre-se que louvamos a Deus por seus atributos e agradecemos pelo que Ele tem feito. O teólogo O. Hallesby, em seu livro *Prayer* (Oração) expressa essa idéia da seguinte maneira: "Quando agradecemos, estamos glorificando a Deus por tudo que Ele tem feito por nós, e quando o adoramos ou louvamos, estamos glorificando a Deus por tudo que Ele é".[1]

Na história dos dez leprosos, citada em Lucas 17, Jesus demonstra claramente a importância de ter um coração agradecido. Os leprosos reconheceram Jesus e clamaram a Ele: "Jesus, Mestre, tenha piedade de nós!"

Você pode sentir o desespero desses leprosos? Eles eram marginalizados pela sociedade, viviam isolados e distantes da família e dos amigos por terem uma doença que destruía seus corpos e por fim suas próprias vidas. Você pode imaginar o quanto era humilhante ter de clamar: "impuro, impuro" para que ninguém se aproximasse deles?

Jesus ouviu o clamor dos leprosos e compadeceu-se de sua situação, dizendo-lhes: "Vão, e mostrem-se aos sacerdotes". Enquanto eles se dirigiam aos sacerdotes a lepra desapareceu de seus corpos. Como assim, desapareceu? Não restou nenhum vestígio daquela doença debilitante? Não! Eles foram completamente curados! Bem, diante disso, você não acha que eles deveriam voltar correndo a Jesus e jogar-se aos seus pés, agradecidos por terem sido curados?

No entanto, apenas um deles retornou. Esse leproso jogou-se aos pés de Jesus em sinal de gratidão pelo que Ele fizera.

Jesus, então, perguntou a ele: "Não foram limpos os dez? E os outros nove, onde estão?".

Peço sempre a Deus para que nós não sejamos como esses nove leprosos. Que nunca consideremos natural a graça de Deus ao responder às nossas grandes ou pequenas petições.

Em nossas reuniões semanais de *Moms in touch* [*Mães em contato*], separamos um tempo para agradecer ao Senhor e expressar nosso reconhecimento por sua bondade em responder nossas orações. Muitas vezes, o Senhor responde na mesma semana em que oramos; outras vezes, esperamos durante meses por uma resposta ou até mesmo por anos a fio. Em algumas ocasiões, derramamos lágrimas de alegria por Deus ter respondido a um pedido especial de oração.

Uma delas foi quando nosso grupo orou pelo diretor de uma escola que tinha um coração duro. Uma mãe relatou: "A resposta de Deus foi rápida e surpreendente. Ele removeu esse diretor no meio do ano. Em seguida, um outro diretor foi designado para trabalhar meio período, e descobrimos que ele era cristão. Ele ficou encantado quando soube do nosso empenho em orar em favor da escola. Meu coração se enche de júbilo quando me lembro da maneira como o Senhor nos respondeu. Senti-me privilegiada ao me unir a outras mães para oferecer nosso agradecimento ao Único que pode nos dar "muito mais abundantemente além daquilo que pedimos ou pensamos"(Ef 3.20).

Um outro grupo orou por diversas semanas, pedindo a Deus que protegesse todas as crianças da escola fundamental. Uma mãe desse grupo fez o seguinte relato: "Certo dia, os pais, avós e amigos esperavam em fila, na porta da escola, para pegar as crianças, quando um carro, que apresentava alguns problemas, perdeu o controle, subiu na calçada e bateu contra o muro da escola, exatamente na parede da classe onde ficavam as crianças do jardim da infância. Embora o prédio tenha sofrido alguns danos, agradecemos a Deus pela maneira como Ele respondeu às nossas orações, pois nem a avó, que estava na direção do carro, nem as crianças ficaram feridas".

Sharon admite que um coração agradecido é fruto de um aprendizado constante em sua vida de oração. Entretanto, ela diz "agradecer a Deus todas as semanas em meu grupo de oração durante treze anos, é como ter uma aula particular semanal".

É de grande ajuda manter um registro das orações respondidas. Separar um tempo para anotar as respostas de oração ajuda-nos a não perder de vista aquilo que Deus tem feito pelas pessoas por quem oramos. Ele quer nos lembrar de sua fidelidade — e que devemos ser gratos.

Memorial de pedras

Quando os filhos de Israel cruzaram o rio Jordão, Deus ensinou a eles que relembrar é parte importante da gratidão:

> E quando os que levavam a arca chegaram ao Jordão, e os seus pés se mergulharam na beira das águas (porque o Jordão transbordava todas as suas ribanceiras durante todos os dias da sega), as águas que vinham de cima, parando, levantaram-se num montão, [...]. Os sacerdotes que levavam a arca do pacto do Senhor pararam firmes em seco no meio do Jordão, e todo o Israel foi passando a pé enxuto, [...]. Quando todo o povo acabara de passar o Jordão, falou o Senhor a Josué, dizendo: Tomai dentre o povo doze homens, de cada tribo um homem; e mandai-lhes, dizendo: Tirai daqui, do meio do Jordão, do lugar em que estiveram parados os pés dos sacerdotes, doze pedras, levai-as convosco para a outra banda e depositai-as no lugar em que haveis de passar esta noite (Js 3.15 - 4.3).

Por que Deus ordenou-lhes que construíssem um altar de pedra?

> Quando no futuro vossos filhos perguntarem a seus pais: "Que significam estas pedras?", fareis saber a vossos filhos, dizendo:"Israel passou a pé enxuto este Jordão. Porque o Senhor vosso Deus fez secar as águas do Jordão diante de vós, [...] para que todos os povos da terra conheçam que a mão do Senhor é forte; a fim de que vós também temais ao Senhor vosso Deus para sempre (Js 4.21-24).

Que privilégio podermos passar aos nossos filhos e netos nosso "memorial de pedras". Manter uma lista com as respostas de oração pode nos ajudar nessa tarefa.

Algumas vezes, releio meus antigos registros de respostas de oração e me sinto novamente grata pelo que Deus fez. Nas ocasiões em que Deus parece não responder às nossas orações, podemos encontrar consolo e encorajamento à medida que folheamos as páginas desses diários e constatamos todas as respostas às orações feitas anteriormente. É bom saber que até no céu há "um memorial [que] foi escrito diante dele, para os que temiam ao Senhor, e para os que se lembravam do seu nome" (Ml 3.16).

Gratidão constante

Não devemos ser gratos a Deus apenas quando Ele responde às nossas orações, ou quando tudo está bem. Precisamos agradecer também quando não vemos respostas às nossas orações. Por quê? Porque Deus é bom.

O salmista declara: "Dai graças ao Senhor, porque ele é bom; porque a sua benignidade dura para sempre" (Sl 136.1). A bondade de Deus é eterna. Ele foi bom ontem, é bom hoje e será bom amanhã. Deus nunca vai lhe dizer: "Cara, sabe de uma coisa? Hoje estou de mau humor. É melhor que ninguém cruze o meu caminho, senão vai ver o que acontece!". Tudo que Deus diz é bom, e tudo que Ele faz também é bom. Se acreditarmos realmente nisso seremos naturalmente gratos, aconteça o que acontecer.

Você tem saúde? Deus é bom.

Você está doente? Deus é bom.

Você é solteira? Deus é bom.

Você é casada? Deus é bom.

Você tem uma boa situação financeira? Deus é bom.

Você está passando por dificuldades financeiras? Deus é bom.

Ninguém de sua família morreu? Deus é bom.

Você já perdeu alguns membros de sua família? Deus é bom.

Você tem filhos? Deus é bom.

Você não pode ter filhos? Deus é bom.

Agradecer a Deus por Ele ser bondoso em todas as situações é honrar a Deus. O Salmo 50.23 diz: "Aquele que oferece por sacrifício ações de graças me glorifica; e àquele que bem ordena o seu caminho eu mostrarei a salvação de Deus".

Algumas vezes é difícil agradecer. Uma de minhas amigas perdeu o marido repentinamente, sem tempo para se despedir. Ao mesmo tempo, ela enfrentava dificuldades financeiras, tendo que lidar não só com as emoções da perda de seu companheiro, mas também com o trauma adicional da possível perda de sua casa. Em meio à dor e ao sofrimento, ela agradeceu a Deus, embora não conseguisse compreender a razão de tantas perdas. Ela creu na promessa de Romanos 8.28 que diz que todas as coisas concorrem para o bem daqueles que amam a Deus. Ela amava o Senhor. A promessa de seu amado Pai celestial deu-lhe a coragem e a fé que necessitava.

A gratidão não precisa estar vinculada aos nossos sentimentos. Ao contrário, pela fé, decidimos ser gratos a Deus. Foi isso que Ele ordenou que fizéssemos, e Deus nunca mandou que fizéssemos algo que não fosse para nosso próprio benefício. Ele nunca ordenou que fizéssemos alguma coisa sem nos dar força e poder para alcançá-la. Quando decidimos agradecer, estamos demonstrando nossa confiança no plano perfeito de Deus. Sempre teremos que decidir entre agradecer ou não por determinada situação. Qual será sua escolha?

Certo dia, eu estava atrasada para uma importante reunião. Sempre procuro ser pontual, pois o atraso traz grande aborrecimento. Saí de casa correndo, entrei no carro, pus a chave na ignição, dei partida e ...descobri que o tanque estava vazio! Procurei lembrar-me quem havia usado o carro na última; é claro que não tinha sido eu.

> A gratidão não precisa estar vinculada aos nossos sentimentos.

E agora, eu devia agradecer? Gostaria de poder dizer que agradeci, mas fiquei furiosa com a pessoa que havia feito aquilo e deixei bem claro o quanto eu estava aborrecida. Minha reação encheu o tanque de gasolina? Fez com que eu me sentisse melhor? Não, isso perturbou meu relacionamento com a pessoa em questão, com Deus e me deixou mal emocionalmente.

Lembro-me também da questão com o piano. Quando Rle e eu nos casamos, fomos abençoados por conseguir alugar uma casa mobiliada. Isso significava que teríamos condições de comprar um piano. Com o passar dos anos, esse piano foi de uma casa para outra, conforme íamos mudando, e teve que enfrentar os estragos causados pelas crianças e seus amigos, bem como pelas aulas de piano.

Depois que as crianças cresceram, fiquei surpresa ao notar que o piano ainda estava em boas condições. Porem, certo dia quando fui tirar o pó do piano, notei que haviam colocado um copo com água bem em cima da madeira envernizada. Meu coração ficou apertado. Ergui o copo instantaneamente e vi a marca da água sobre a madeira. Mas dessa vez minha reação foi diferente. Agradeci a Deus, entreguei *meu* piano ao seu verdadeiro dono — o Senhor —, e coloquei uma foto da família sobre a mancha.

Os benefícios da gratidão

Descobri que um dos benefícios da gratidão é poder descansar no Senhor. Podemos confiar nele mesmo quando não entendemos o que está acontecendo.

Merlin Carothers, em seu livro *Power in praise* (*O poder do louvor*), afirma:

> Nada — nenhuma circunstância, nenhum problema, nenhuma provação — pode me atingir sem ter antes passado por Deus e por Cristo, para depois chegar a mim. Mas se chegou a mim depois de passar por um caminho tão longo, é porque tinha um propósito, que muitas vezes não posso compreender naquele momento. No entanto, quando me recuso a entrar em pânico, quando olho para Ele e aceito a situação, considerando-a como vinda diretamente do trono de Deus para cumprir o propósito de abençoar meu coração, nenhuma tristeza poderá me perturbar, nenhuma provação irá me derrubar, nenhuma circuns-

tância me fará lamentar — pois posso descansar no júbilo de saber quem é o meu Senhor. Isso é descansar na certeza da vitória.[2]

Um outro benefício da gratidão é a mudança de nossas atitudes. A gratidão afasta a depressão, o cinismo, o medo, a autocomiseração e o sentimento de inferioridade. Você passa a enxergar a situação através de uma nova perspectiva — a perspectiva de Deus.

O marido de Janet, a co-autora deste livro, ficou gravemente enfermo enquanto trabalhávamos neste projeto. Loch ficou internado por cinqüenta dias em um hospital e passou por quatro cirurgias, sendo que três delas no período de apenas onze dias. Ele esteve à beira da morte várias vezes. No entanto, como Janet sempre cultivou uma atitude de gratidão, ela pôde encontrar motivos para se sentir grata, em vez de se sentir deprimida ou com pena de si mesma por aquela difícil situação. Algumas vezes, a enfermeira passava pelo quarto de Loch e descobria que ele estava com uma crise de dor tão violenta, que nem conseguia tocar a campainha para chamá-la. Se algum médico não conseguisse encontrar uma outra maneira de tratar sua enfermidade, não haveria esperança para Loch.

A gratidão afasta a depressão, o cinismo, o medo, a autocomiseração e o sentimento de inferioridade. Você passa a enxergar a situação através de uma nova perspectiva — a perspectiva de Deus.

Certo dia, o irmão de Loch, um especialista em microbiologia, sugeriu que consultassem um infectologista para tratar a infecção que ameaçava a vida de Loch e confundia os médicos. Havia apenas um especialista na cidade, e ele sempre estava muito ocupado, mas repentinamente surgiu um horário vago em sua agenda e ele pôde aceitar o caso de Loch . Isso provavelmente salvou sua vida.

De fato, a situação era terrível e Janet teve que enfrentar uma forte pressão, tanto fisicamente quanto emocional e espiritualmente. Contudo, por ter sido grata, ela foi capaz de ver a mão de Deus operando na vida de Loch e saber que Ele estava cuidando de seu marido.

Desanimar ou descansar

Quais são as conseqüências de não darmos graças? Frustração! Você pode escolher: continuar sua frustrante tarefa ou descansar na obra consumada do Senhor. Deus quer nos conformar à imagem de seu Filho, transformando-nos de glória em glória e tornando-nos cada vez mais parecidos com Cristo.

Quando surgem os problemas, ameaçando seu bem-estar ou de sua família, você é capaz de dar graças ao Senhor? Ou você é envolvida pelas circunstâncias de tal forma que não se sente livre para se colocar diante de Deus e agradecer-lhe por Ele ser capaz de agir em nosso favor, tanto no mundo quanto em nossos corações?

Gosto da maneira como Ron Mehl, em seu livro *God works the night shift* (*Deus trabalha no turno da noite*), diz que Deus *age* em todas as coisas para o bem daqueles que o amam (Rm 8.28-NVI), isto é, daqueles que foram chamados de acordo com o seu propósito. Romanos 8.29 acrescenta: "Porque os que dantes conheceu, também os predestinou para serem conformes à imagem de seu Filho, a fim de que ele seja o primogênito entre muitos irmãos". Mehl diz:

> Ele está submetendo seu poder e sua vontade a um único propósito, a saber, conformar cada um de nós, seus filhos adotivos, à imagem do Senhor Jesus. [...] Se você é capaz de entender que Deus está usando determinada situação para tornar você mais parecida com o Salvador, então você pode ficar tranqüila, pois nada que acontece na sua vida é em vão — nenhum esforço, nenhuma dor, nenhuma ansiedade, nenhuma lágrima é perdida em algum lugar do universo.[3]

Outra conseqüência de um espírito ingrato é que nossas orações são interrompidas. Um espírito murmurador não combina com o Espírito de Cristo. Algumas vezes, penso que é mais fácil agradecer pelas coisas catastróficas do que pelas pequenas coisas do dia-a-dia.

Quando meus filhos eram pequenos, eu não sabia como poderia manter a perspectiva de Deus quando tinha que fazer de oito a dez sanduíches por dia, além de outros tipos de comida. Em algumas manhãs, eu simplesmente não queria ter que fazer todos aqueles sanduíches.

Confesso que nem sempre me *sentia* agradecida, mas, numa atitude de obediência, decidi pôr em prática o princípio da gratidão. Quando eu começava a agradecer, algumas coisas aconteciam no meu espírito. Eu agradecia a Deus por estar fisicamente disposta a fazer aquilo, pelos meus filhos e por ter condições de preparar uma comida saudável para eles. Enquanto agradecia, o Espírito Santo colocava no meu coração que eu poderia aproveitar aqueles momentos para orar por cada um dos meus filhos. Orava para que enquanto comessem seus lanches, eles soubessem o quanto eu os amava, e também que não podemos viver só de pão, mas de toda palavra que procede da boca de Deus. Ficava admirada com os pensamentos que Deus colocava em minha mente enquanto eu orava e fazia as tarefas do dia-a-dia, como preparar os lanches. Estava fazendo algo que o mundo provavelmente consideraria como uma tarefa insignificante, mas que, à luz da eternidade, teria grande importância na vida de meus filhos.

Através do poder da oração — e do simples ato de dar graças — Deus transformou uma tarefa comum em um ato de significado eterno. Ele pode fazer o mesmo em sua vida.

Marika, uma mãe de Jerusalém, costumava ir à escola junto com seu filho Amir, de dezessete anos, todas as terças-feiras, para se reunir com outras mães e orarem juntas pela escola. A primeira reunião depois das férias de verão foi agendada para uma linda manhã de sol. Enquanto Marika e seu filho caminhavam em direção à escola, eles conversavam sobre o futuro do rapaz. Até que de repente eles levaram um susto ao ouvir o barulho de uma grande explosão. "Ficamos parados, perplexos, olhando fixamente para o local onde a bomba havia explodido — nós havíamos acabado de passar por aquele lugar", disse Marika.

Amir, em estado de choque, apenas olhava sem entender o que estava acontecendo. Marika começou a chorar. "Lágrimas de raiva e de ressentimento pela pessoa que havia cometido tal ato, lágrimas pelo que poderia ter acontecido conosco, e também lágrimas de alívio ao perceber que havíamos escapado", disse ela.

Os dois abriram caminho através da fumaça, da confusão e dos destroços de carros, ouvindo o choro e os gemidos das pessoas e das sirenes apitando. Mãe e filho sentaram-se nos degraus da escola e, quando Marika abraçou o filho, ela percebeu que o futuro dele, que vinham discutindo com tanto entusiasmo, quase havia sido destruído. "Ali mesmo nós agradecemos ao Senhor por sua proteção e pedimos a Ele que nos desse força para suportar aquele dia", disse ela.

Mais tarde, quando as mães se reuniram para orar, a agenda de oração daquele dia foi diferente da que haviam planejado. Elas oraram pelos feridos e pela família do "homem-bomba".

"Há muito tempo que oramos todas as manhãs", disse Marika, "para que o Senhor nos guarde na chegada e na saída. Deus é nosso refúgio e nossa força. Amir ficou em estado de choque por vários dias, mas finalmente ele voltou ao seu estado normal, e nos sentimos muito gratos".

Quando decidimos dar graças, mesmo que as circunstâncias não sejam favoráveis, a glória do Senhor encherá o templo (2 Cr 7.1). Nós somos o templo do Espírito Santo, e quando somos gratos, estamos evidenciando a glória do Senhor em nós.

Mas devemos ficar atentas, pois um espírito ingrato pode nos atingir quando menos esperamos. Uma mãe havia convidado algumas pessoas para jantar, e quando todos estavam sentados à mesa, a mãe sugeriu que sua filha mais nova orasse, dando graças. A menina resmungou que não sabia o que dizer na oração e a mãe então retrucou: "Diga apenas o que você sempre escuta a mamãe falar". A garotinha inclinou a cabeça e disse: "Querido Deus, por que fui convidar todas essas pessoas para jantar?"

Isso nos faz imaginar que tipo de mensagem essa mãe havia transmitido à filha enquanto preparava a refeição. Seja o que for que ela tenha dito, sua filhinha escutou. Saber que as crianças estão com ouvidos atentos ao nosso redor é uma boa maneira de prestarmos atenção em nossas palavras — embora isso também possa ser assustador.

Concordo com o comentário de minha amiga Pam: "Creio que minha fé é aperfeiçoada quando decido agradecer; entendo que a gratidão não é um pedido de Deus, mas uma ordem que deve ser obedecida — 'Em tudo dai graças; porque esta é a vontade de Deus em Cristo Jesus para convosco'" (1Ts 5.18).

Vamos orar

Orações de ação de graças são expressões de apreciação e gratidão pelas respostas de Deus. Por isso, não peça nada durante esse período, apenas agradeça. Lembre-se, o louvor se concentra naquilo que Deus é enquanto que a gratidão focaliza o que Deus tem feito.

Medite sobre as questões abaixo e escreva sua oração de gratidão.

Quando e onde você aceitou Jesus como seu Salvador? Agradeça a Deus por cada detalhe que Ele preparou para que você pudesse ter um encontro com Jesus.

Em que situações você pôde sentir o amor de Deus? Agradeça a Ele por isso.

Procure lembrar dos acontecimentos da semana que passou ou do mês passado. Agora pense, Deus tem mostrado sua fidelidade a você (dando-lhe apoio, força e sabedoria)? Agradeça por isso.

Quais as provações que você tem enfrentado? Agradeça, e descanse no Senhor.

Agradecer em toda situação, e não por toda situação

Talvez você esteja pensando, "Se devemos agradecer em todas as situações, isso significa que devemos agradecer a Deus pelo mal?" Acredito que a resposta está em duas pequenas palavras. O Senhor nos diz que devemos agradecer *em* toda situação e não *por* todas as coisas. Não estamos agradecendo pelo mal — assassinatos, estupros, aflições, enfermidades, divórcio. Deus é maior do que o pecado e está acima de todas as circunstâncias. Ele pode derrotar o mal e nos dar vitória em toda situação.

A gratidão me ajuda a entregar minha vida a Deus. Não podemos deixar que as circunstâncias esmoreçam nossa gratidão, pois o Senhor é maior do que qualquer uma delas.

O que podemos fazer em relação àquelas situações inesperadas que tão facilmente nos perturbam? Nós, de certa forma, esquecemos da oração que fazemos pela manhã: "Pai querido, entrego ao Senhor este dia e rendo-me a Ti" e fazemos planos para o dia. Mas, com certeza, alguns deles não darão certo. Como agir diante dessa situação?

Lembro-me de um dia em que parecia que nunca conseguiria cumprir minha lista de tarefas. Enquanto eu me preparava para levar as crianças para a escola, Trisha, que na época ainda era bem pequena, reclamou de dor de ouvido. Pensei, *Senhor, não poderia ter dia pior para lidar com uma dor de ouvido, isto definitivamente não estava nos meus planos!*

Mas, por praticar regularmente a gratidão, senti que deveria agradecer, e imediatamente minha ansiedade em cumprir a agenda do dia desapareceu. Orei: "Tudo bem, o Senhor sabe tudo que eu tenho para fazer hoje. Não sei como vou conseguir dar conta de tudo, mas sou grata ao Senhor por essa interferência em meus planos". Senti uma grande paz invadindo meu coração e fui cuidar daquela garotinha doente, que necessitava do conforto e do amor materno, fazendo-a sentir que ela era prioridade em minha vida. Ela certamente não precisava de uma mãe que a fizesse se sentir culpada por ter atrapalhado seus planos.

Jamais me esquecerei dos doces momentos que passei com Trisha naquele dia. Ainda me lembro nitidamente de nós duas na sala de espera do médico, a cabeça dela deitada em meu colo enquanto eu lhe fazia um cafuné e silenciosamente, orava por ela. Jesus certamente estava ali conosco.

Quando somos obedientes em agradecer, o Senhor põe algo agradável e precioso em nosso caminho, que não constava de nossa lista de afazeres.

Lembro-me de uma história que Jane, uma mãe sábia, compartilhou comigo. Ela me contou que seu filho foi procurá-la alguns meses depois de ter se casado para reclamar de sua esposa, Sandra, que o estava aborrecendo. Depois de ouvir as queixas que ele tinha, Jane compartilhou com seu filho todas as coisas boas que ela tinha a agradecer pela vida de Sandra. Jane mencionou algumas situações específicas e qualidades de caráter que apreciava em Sandra, e como se sentia agradecida por ela ser a esposa de seu filho. Alguns meses mais tarde, seu filho mencionou que os comentários que ela havia feito sobre sua esposa fizeram com que ele enxergasse o que realmente pensava dela. O coração agradecido de Jane em relação à Sandra, o fez lembrar das razões que o levaram a casar-se com ela. Ele foi para casa agradecendo a Deus pela esposa que o Senhor lhe havia dado.

Quando decidimos ser agradecidos, isso produz em nós um espírito afável. Gosto muito do filme *E o Vento Levou*. Melanie é minha personagem favorita. Ela sempre via o melhor em Scarlett, embora esta fosse ardilosa, dissimulada, egoísta e cruel. No entanto, Melanie sempre era gentil e amorosa com sua amiga. Tenho uma amiga, Judy, que mora no Canadá, que é exatamente como Melanie. De fato, eu cheguei a dizer-lhe que ela devia ser um anjo. Não me lembro de ouvi-la fazer um comentário desagradável sobre alguém. Seu coração sempre agradecido fez de Judy uma pessoa maravilhosa e cheia do Espírito Santo. Paulo ensina: "Enchei-vos do Espírito, [...] sempre dando graças por tudo a Deus" (Ef 5.18,20). Uma coisa acompanha a outra. "O fruto do Espírito é: amor, gozo, paz, longanimidade, benignidade, bondade, fidelidade, mansidão, domínio próprio" (Gl 5.22,23). A suave fragrância de um espírito grato faz com que todos ao redor vislumbrem a Jesus. A pessoa que decide agradecer nunca fica se lamentando ou resmungando, pois está sempre grata.

Desejo ser uma pessoa capaz de reconhecer que todo dom perfeito vem de Deus, e estar sempre pronta a agradecer a Ele com uma oração. Você não gostaria também de ser assim?

Querido e soberano Deus, ajude-me a expressar minha gratidão ao Senhor por meio da oração. Que eu nunca deixe de agradecer ao Senhor por sua provisão bondosa. Ajude-me a ter um coração grato mesmo diante de tribulações e sofrimento. Peço que minha confiança no Senhor seja fundamentada naquilo que o Senhor é; que eu possa crer que todas as coisas cooperaram para o bem, e que o Senhor sabe perfeitamente o que fazer para me conformar à imagem de seu Filho. Senhor ensine-me a dar graças em todas as situações. Em nome de Jesus. Amém.

7
Intercessão: Colocando-se na brecha

SUSAN FICOU PERPLEXA AO LER A mensagem escrita na tela de seu computador. Ela mal podia acreditar naquelas palavras. O *e--mail* que ela havia acabado de receber do diretor da escola de *Westmont High* dizia que um professor havia encontrado a seguinte mensagem escrita em uma carteira: "Na próxima terça-feira a escola de Westmont High vai desaparecer".

Susan estava atônita. A violência nas escolas acontecia em lugares distantes, afetando crianças e professoras cujos nomes ela desconhecia. Mas essa ameaça era direcionada à escola em que seus filhos estudavam e de acordo com o que estava escrito, faltavam apenas quatro dias para ser cumprida.

Na mensagem enviada pelo diretor ele informava que havia reforçado a segurança, colocando policiais à paisana dentro da escola por toda a semana seguinte. Na noite que antecedia àquele presumível ataque, vários pais cristãos, preocupados com o que poderia acontecer com seus filhos, tomaram suas próprias medidas de segurança, orando juntos para que a pessoa que fosse realizar aquele ato de vandalismo fosse impedida de fazê-lo. "Colocamos nossos filhos e nossa escola aos pés do Senhor e oramos para que Deus impedisse os planos de Satanás", disse Susan.

Na terça-feira de manhã, os pais receberam a notícia de que na noite anterior a polícia havia encontrado o aluno que estava ameaçando a escola e levado para a prisão — exatamente no momento em que os pais estavam reunidos em oração.

E se Susan e os outros pais não tivessem intercedido em favor da escola naquela noite? E se eles não tivessem se preparado contra os ataques de Satanás?

Aqueles cristãos estavam prontos a orar. Eles estavam prontos para dar o quarto passo na seqüência da oração: a intercessão. Antes de interceder, eles louvaram a Deus por Ele ser poderoso, soberano e fiel. Eles o louvaram por aquilo que Deus é. A seguir eles confessaram seus pecados, o que os colocou numa posição de humildade, buscando que Deus lhes revelasse qualquer pecado que pudesse impedi-los de confiar que Deus atenderia os seus pedidos durante a intercessão. Alegremente, deram graças pela maneira como Deus havia respondido suas orações anteriores, o que aumentou a fé dos pais. Naquele momento, o coração deles estava preparado para pedir, por meio da oração de fé, pela salvação da escola e de seus filhos. E Deus atendeu-os.

O que é um intercessor? É alguém que ora por outra pessoa, alguém que clama em favor de outra pessoa diante do trono de Deus.

Abraão foi um intercessor fervoroso. Ele intercedeu em favor de seu sobrinho Ló, implorando que Deus salvasse os justos [inclusive seu sobrinho] de Sodoma e Gomorra. Abraão pediu que Deus não destruísse a cidade se houvesse ali cinqüenta pessoas justas. O Senhor atendeu a Abraão e disse que não destruiria a cidade se cinqüenta pessoas justas fossem encontradas. Abraão continuou intercedendo corajosamente para que o Senhor não destruísse a cidade se quarenta e cinco pessoas justas ali estivessem. Deus concordou. A seguir, Abraão pediu por quarenta, depois trinta, vinte e, por fim, dez. Deus atendeu todas as vezes ao pedido de Abraão. Contudo, como sabemos, não foram encontradas nem dez pessoas justas morando naquela cidade. Apesar disso, Deus salvou Ló e sua família (Gn 18—19).

Que exemplo maravilhoso Abraão, o intercessor, nos deixou sobre como ir à presença de Deus e obter misericórdia para alguém em necessidade. Quando entramos na presença do Deus poderoso e onipotente, intercedendo pelos outros, o Senhor escuta e responde às nossas orações, se orarmos conforme sua palavra e sua vontade. Deus nos deu a responsabilidade de nos colocarmos "na brecha" pelos outros. Essa expressão é citada em Ezequiel 22.30: "E busquei dentre eles um homem que levantasse o muro, e se pusesse na brecha perante mim por esta terra, para que eu não a destruísse; porém a ninguém achei". Isto é muito sério. Deus diz que teria salvado toda a nação de Israel se apenas uma pessoa tivesse clamado por misericórdia em favor da nação. Uma única voz poderia ter trazido a libertação do Senhor. Tiago 4.2 pode ser entendido à luz desse contexto quando afirma que nada temos, porque não sabemos pedir.

O autor F.B.Meyers escreveu: "A grande tragédia da vida não é o fato de não termos respostas às nossas orações, mas de não orarmos".

Intercedendo com autoridade

Um intercessor não é somente alguém que se coloca na brecha, mas alguém que também leva a sério sua autoridade (sua posição) em Cristo. Essa pessoa ora com confiança porque sabe que, pelo sangue de Jesus, ela é preciosa aos olhos de Deus, e tem certeza de que ao orar em nome de Jesus, as trevas serão destruídas e as amarras se soltarão. Essa pessoa está segura de quem ela é e de sua identidade, pois foi redimida, salva pela graça e está cumprindo seu dever de se colocar entre o necessitado e o Deus Todo-poderoso.

Alice Smith, em seu livro *Beyond the veil* (*Além do véu*), descreve isso da seguinte maneira: "A palavra *interceder* é semelhante à palavra 'interceptar'; para interceptar uma ação, você precisa parar e interromper o processo ou o curso da ação. O intercessor é alguém que intercepta os planos do inimigo e provoca um intercâmbio espiritual, ou seja, uma coisa é substituída pela outra".[1]

Foi exatamente isso que aconteceu quando os pais oraram contra os ataques de Satanás que ameaçavam a escola de seus filhos. Deus nos chama para participarmos, por intermédio da oração, no cumprimento de seus planos divinos — não de nossos planos. O Espírito Santo colocará em nossos corações aquilo que está no coração de Deus. Quando pedimos conforme a vontade de Deus, Ele nos atende. Podemos confiar em sua resposta, pois nossa oração estará cumprindo o propósito de Deus.

Quando descansamos no fato de que todas as coisas estão nas mãos de Deus, e não nas nossas, nossas orações se renovam e não precisamos nos esforçar para orar. Algumas vezes nos sentimos cansados, pois nos esforçamos em tentar convencer Deus a atender nossos pedidos, em vez de relaxar e descansar em sua vontade. Quando Jesus disse: "Pedi, e dar-se-vos-á, buscai, e achareis; batei, e abrir-se-vos-á" (Mt 7.7), Ele estava dizendo que devemos colocar nossas necessidades diante de Deus, deixá-las ali e confiar que, em seu plano sagrado, Ele irá nos atender. Não temos que implorar, forçar ou apresentar as razões para que nossos pedidos sejam respondidos de modo especial. Esse tipo de oração é desgastante e nos deixa esgotados tanto mentalmente quanto física e espiritualmente. A única coisa que devemos fazer é deixar nossos problemas, nosso fardo, nossas preocupações nas mãos de Deus, pois Ele diz que quando pedimos, as coisas se transformam. Mesmo quando não conseguimos ver isto acontecer.

Jennifer Kennedy Dean coloca isso da seguinte maneira:

> Pedir é simplesmente colocar diante do Pai nossos problemas — não nossos pedidos. "Eles não têm vinho" (Jo 2.3). "Senhor, eis que está enfermo aquele que tu amas" (Jo 11.3). "Seja feita a tua vontade, assim na terra como no céu" (Mt 6.10). "Pai, glorifica o teu nome" (Jo 12.28). Quando você percebe como é fácil e agradável apresentar seus problemas ao Pai, suas energias podem ser dirigidas para adorá-lo, amá-lo, escutá-lo e deixar que Ele transforme as preocupações de sua alma.[2]

Quando descansamos no fato de que todas as coisas estão nas mãos de Deus, e não nas nossas, nossas orações se renovam e não precisamos nos esforçar para orar.

Para interceder pelos outros, devemos orar no Espírito (Ef 6.18). Orar no Espírito significa que Jesus está no controle de minha vida, e não o meu ego. Depois que confessamos todos os pecados conscientes, o Espírito Santo coloca em nossos corações as orações provenientes do coração do Pai. Desse modo, podemos orar como Jesus oraria. Ao orarmos conforme o Espírito Santo nos conduz, experimentaremos a paz do Senhor.

O autor Dick Eastman afirma que o chamado mais importante de Deus é o chamado para sermos intercessores. Ele diz: "Esta é a maneira de Deus envolver seus seguidores em seus planos com mais intensidade. Não há nenhuma outra forma de envolver totalmente o crente na obra do Senhor do que a oração intercessória".[3] Nenhum ministério, nenhuma obra é mais importante do que orar pelos outros.

Andrew Murray em seu livro *Prayer: A 31-Day plan to enrich your prayer life* (*Oração: um plano de 31 dias para enriquecer sua vida de oração*), diz:

> Deus governa o mundo e a igreja através das orações de seu povo. O fato de que Deus tenha feito com que a expansão de Seu reino dependesse, em grande medida, da fidelidade de Seu povo por meio das orações é um mistério surpreendente e, ao mesmo tempo, uma certeza absoluta. Deus nos chama para sermos intercessores: em sua graça Ele faz com que sua obra dependa desses intercessores; Ele está à espera de intercessores [...] O poder dos céus está à disposição daqueles que intercedem, e a graça e o poder de Deus estão esperando que eles apresentem suas petições.[4]

Podemos ficar na brecha por um filho rebelde; por um filho que está sofrendo ameaças de outra pessoa; para que a escola de nossos filhos não interfira em suas crenças; pelos jovens viciados em drogas e álcool; pelos jovens envolvidos em relacionamentos sexuais; por uma criança que está sofrendo maus-tratos.

"Carregadores de leito"

A alegria de orar com outras pessoas é que podemos nos unir aos intercessores. Gosto de pensar que podemos nos tornar "carregadoras de leito" para outras crianças. Marcos 2 relata o que aconteceu enquanto Jesus estava ensinando e curando as pessoas na sala de uma casa.

> Alguns dias depois, entrou Jesus outra vez em Cafarnaum, e soube-se que ele estava em casa. Ajuntaram-se,

pois, muitos, a ponto de não caberem nem mesmo diante da porta [...]. Nisso vieram alguns a trazer-lhe um paralítico, carregado por quatro; e não podendo aproximar-se dele, por causa da multidão, descobriram o telhado onde estava e, fazendo uma abertura, baixaram o leito em que jazia o paralítico. E Jesus, vendo-lhes a fé, disse ao paralítico: Filho, perdoados são os teus pecados. [...] Ora, para que saibais que o Filho do homem tem sobre a terra autoridade para perdoar pecados (disse ao paralítico), a ti te digo, levanta-te, toma o teu leito, e vai para tua casa (v. 2-5,10,11).

Quatro homens foram até lá para levar um amigo doente até Jesus. Eles sabiam que se conseguissem levá-lo até Jesus, Ele seria curado. Embora eles tivessem seus próprios afazeres, separaram um tempo para carregar aquele paralítico até o local onde estava Jesus. O quanto eles caminharam, só Deus sabe, cada um segurando uma ponta do leito.

Nem mesmo a multidão conseguiu detê-los. Tiveram a ousadia de subir no telhado da casa de uma outra pessoa, abrir um buraco para baixar o leito onde jazia o amigo paralítico e colocá-lo bem na frente de Jesus. Esses homens enfrentaram uma situação impossível para trazer o amigo até Jesus, que tornou o impossível, possível. Você consegue imaginar aqueles quatro homens espiando através de um buraco no telhado, esperando para ver um milagre? A seguir, Jesus olhou para eles e disse que curaria aquele homem graças à fé de seus amigos. Foi a fé daqueles homens, não a fé do paralítico, que fez com que o milagre acontecesse.

Intercessores são como esses quatros homens. Cada um segura numa ponta do leito para levar seus queridos, um de cada vez, até Jesus. Muitas de nossas crianças estão paralisadas pelo pecado, e esse fardo é muito pesado para os pais suportarem sozinhos. Muitos ficam desanimados quando não percebem nenhuma mudança de atitude e não enxergam nenhum indício de uma resposta à oração.

Imagine uma mãe tentando carregar seu filho — um jogador de futebol americano com mais de noventa quilos — para levá-lo até Jesus. Mas de repente uma outra mãe se aproxima e segura uma ponta do leito. As orações dessa segunda mãe são centelhas de fé. Logo a seguir, uma outra mãe se aproxima, e depois mais uma. Elas se juntam e cada uma segura uma ponta do leito. A mãe volta a ter esperança ao ouvir as orações cheias de fé de outras mães.

Depois de um período exaustivo e frustrante com um de seus filhos, Jodie percebeu que seu fardo era pesado demais para suportá-lo sozinha. Assim, ela procurou um grupo de oração e contou o que estava acontecendo com sua família. "Eu literalmente despejei os detalhes sórdidos de minha história", disse ela, "e constatei que minha família e eu nos tornamos alvos das mais incríveis, fiéis e poderosas orações que jamais ouvi".

Somos ricamente abençoadas quando temos outras mães ao nosso lado para nos ajudar a carregar o leito, como os amigos daquele homem paralítico o ajudaram carregando seu leito até junto de Jesus. Não importa se um de seus filhos é rebelde, indiferente ou abandonou a fé. Ele não pode impedi-la de colocá-lo no leito. Ao olhar para as faces fervorosas e cheias de esperança daqueles que carregavam o leito, Ele disse: "Filho, perdoados são os teus pecados" (Mc 2.5).

Uma das maiores alegrias de um intercessor é orar pela salvação dos outros. Colocar cada pessoa necessitada no leito e interceder intensamente por ela é um privilégio incomparável. Podemos orar para que nossos queridos tenham um coração reto e receptivo à Palavra (Lc 8.8,15), para que seus olhos espirituais se abram (2 Co 4.3,4), para que eles sejam libertos do poder e da persuasão do Maligno (2 Co 10.3,4) e que se arrependam e aceitem a Cristo (2 Co 7.10).

Quando minha filha, Trisha, estava no colegial, começamos a orar pela salvação de dois de seus amigos. Ela convidou-os várias vezes para participarem das cruzadas evangelísticas e, como não tinha carteira de motorista, ela me pedia para levá-los. É claro que eu fazia isso com o maior prazer. Certa ocasião, durante a pregação um dos rapazes começou a cantarolar baixinho. Pensei, *será que algum dia esse jovem vai aceitar a Cristo? Ele não está nem ouvindo a pregação.* No entanto, quando foi feito o apelo, os dois rapazes pediram que Trisha os acompanhasse até a frente, pois eles desejavam aceitar a Cristo. Deus escutou nossas orações e amoleceu o coração dos dois rapazes. Naquela noite inesquecível, os dois foram libertos do poder e da influência do Maligno. Os anjos certamente estavam louvando ao Senhor, assim como Trisha e eu.

Quando você intercede regularmente por uma determinada criança, desenvolve um amor sincero por ela.

Você se torna uma extensão de sua família por meio da oração, e aprende a cuidar de cada criança como se fosse sua.

Como intercessor, você pode deixar para seus filhos um legado de oração que perdurará por longo tempo. Que alegria poder orar por cada filho, por seus cônjuges e pelos filhos deles para que todos venham a amar ao Senhor com todo o coração e dedicar suas vidas a Ele. É maravilhoso saber que mesmo muito tempo depois de termos partido, nossos filhos, netos e bisnetos ainda estarão sendo abençoados pelas orações que fizemos por eles.

A Bíblia ensina que devemos orar pelas futuras gerações. Certo dia, enquanto eu estava lendo a conhecida oração de Jesus em João 17, a verdade do versículo 20 atingiu meu coração. Jesus orou: "E rogo não somente por estes, mas também por aqueles que pela sua palavra hão de crer em mim". Naquele momento, Jesus estava orando por você e por mim, e hoje, depois de dois mil anos, essa oração de Jesus ainda nos protege e abençoa.

Ao perceber essa surpreendente verdade, li o capítulo inteiro e fui tocada pelos pedidos que Jesus fez ao Pai ao interceder por mim: para que Ele me guardasse do Maligno pelo poder de seu nome; que eu fosse uma com o Senhor; que eu pudesse ter a alegria completa de Jesus; que eu fosse santificada pela verdade da Palavra de Deus, e muito mais.

Tomei esses mesmos pedidos e coloquei-os em minha oração por meus filhos e netos. Tenho testemunhado algumas respostas. Meus quatro filhos se casaram com pessoas devotadas ao Senhor, e meu netinho Joshua tem uma mãe que ora e um pai que lhe ensina os caminhos do Senhor. Provavelmente não virei a conhecer os filhos de Joshua, mas minhas orações por eles certamente serão valiosas.

Amy Carmichael disse algo que me inspirou e motivou: "Temos apenas alguns anos para alcançar a vitória, mas toda a eternidade para desfrutarmos dela."

Orando as escrituras

Assim, um intercessor é alguém que se coloca na brecha, alguém que carrega o leito para um amigo necessitado. O intercessor usa a Escritura como uma das armas mais poderosas ao orar pelos outros. O intercessor ora de acordo com as exatas palavras de Deus nas Escrituras, em favor da pessoa por quem está intercedendo.

O poder da Palavra de Deus pode frustrar os ataques de Satanás. Jeremias estava se referindo a isso quando declarou: "Não é a minha palavra como fogo, diz o Senhor, e como um martelo que esmiúça a pedra?" (Jr 23.29). A Palavra é como um martelo que esmaga e esmiúça a dureza de nossos corações e traz arrependimento para aqueles que são orgulhosos e egocêntricos.

Até mesmo Jesus usou as Escrituras para derrotar Satanás quando foi tentado no deserto. Note o que Ele disse: "Está escrito: Nem só de pão viverá o homem, mas de toda palavra que sai da boca de Deus" (Mt 4.4).

A Palavra de Deus também nos ensina a orar corretamente. Quando oramos pelas Escrituras, estamos orando segundo a vontade de Deus. Isso traz paz, fé e esperança a um coração ansioso, pois a Palavra de

Deus afirma: "Assim será a palavra que sair da minha boca: ela não voltará para mim vazia, antes fará o que me apraz, e prosperará naquilo para que a enviei" (Is 55.11).

Uma mãe contou-me como ela havia sido transformada ao orar pelas Escrituras. "Aprendi a caminhar com firmeza, apoiando-me na Palavra de Deus para orientar e dirigir minha vida e a vida de meus filhos. Essa experiência provocou uma transformação em meu íntimo, despertando em mim um profundo anseio de conhecer e aplicar a Palavra de Deus em minha vida."

Bárbara, uma das líderes do grupo de oração da escola Hendersonville High, falou-me da maneira incomum como seu grupo havia orado pelos estudantes: "Não morrerei, mas viverei, e contarei as obras do Senhor" (Sl 118.17). No ano anterior, muitos alunos haviam morrido, por isso as mães estavam orando fielmente por proteção para seus filhos através das palavras desse salmo.

"Todas as quintas-feiras, nós nos reuníamos e orávamos por vinte alunos de cada vez, de acordo com a ordem alfabética. No dia nove de novembro, o filho de meus melhores amigos, Josh, constava de nossa lista de oração. Dois dias depois, Josh sofreu um terrível acidente de carro. Ele estava levando sua amiga Kiara para casa quando perdeu a direção do carro por causa da alta velocidade e capotou quatro vezes. Quando a polícia viu o veículo totalmente destruído, não acreditou que aqueles jovens haviam sobrevivido — e sem nenhum arranhão! O cinto de segurança de Kiara não conseguiu segurá-la, por isso ela foi atirada para o banco de trás. Se ela estivesse no banco da frente, não teria sobrevivido pois a capota havia afundado sobre o banco. De forma milagrosa, a capota também afundou sobre o banco de Josh, mas até certo ponto, exatamente antes de atingir sua cabeça, sem que ele se machucasse. Um outro jovem, um aluno de intercâmbio proveniente da Albânia, e que nunca usava o cinto de segurança, deveria estar no banco de trás. No entanto, no último minuto, ele decidiu não pegar aquela carona. O carro quase bateu em uma enorme árvore, mas antes que isso acontecesse, foi parado por uma caixa de correio que havia sido colocada naquele local na semana anterior. Eu disse a Josh: 'Deus está nos enviando uma mensagem: Ele ouve nossas orações — cada uma delas!' A oração tem poder, poder sobre Satanás, poder concedido por Deus".

Irene conhecia bem o poder da oração fundamentada nas Escrituras e, regularmente, inseria o nome de seus filhos nos versículos. Certo dia, ela orou por sua filha através do texto de 1 João 2.16: "Porque tudo o que há no mundo, a concupiscência da carne, a concupiscência dos olhos e a soberba da vida, não vem do Pai, mas sim do mundo". Mas quando ela orou, a frase "concupiscência dos olhos" martelou em sua mente. Ao longo do dia, Irene orou várias vezes para que o Senhor impedisse Jody de ver alguma coisa que pudesse lhe fazer mal. Naquela semana, Jody e mais duas amigas da quinta série, foram dormir na casa de uma colega. Porém, antes de dormir, essa colega foi até o quarto de seu irmão buscar uma revista. A seguir, chamou as outras meninas e foram para o banheiro. Ali ela mostrou a revista para as amigas — uma revista pornográfica. Jody imediatamente disse que não concordava com aquilo e saiu do banheiro. Ao vê-la sair, uma das meninas também se levantou e saiu.

Irene só descobriu o que havia acontecido algumas semanas depois. A menina que havia saído junto com Jody contou à mãe o que havia acontecido e disse que ficou muito contente quando Jody não concordou em olhar a revista. A atitude de Jody lhe deu coragem para tomar a decisão correta.

Jody foi provada, mas pelo poder da Palavra de Deus proferida em oração, ela foi aprovada. Conforme suas orações iam sendo respondidas, a fé de Irene ia aumentando cada vez mais.

Provavelmente, um dos textos das Escrituras que as mães usam com mais freqüência ao orar por seus filhos é aquele que está incluído na oração de Jesus pelos seus discípulos em João 17.15: "Não rogo que os tires do mundo, mas que os guardes do Maligno". Ficar na brecha, colocando-nos entre nossos filhos e Satanás por meio da oração fundamentada na Palavra, é algo poderoso. Não tenho idéia de quantas vezes meus filhos foram salvos de decisões que poderiam destruir suas vidas, de pessoas maldosas ou de circunstâncias duvidosas por meio da oração fundamentada nas Escrituras.

Quando oro de acordo com Zacarias 2.5, peço que o Senhor seja um muro de fogo ao redor de meus filhos e que eles vejam a sua glória. Imagino Deus Todo-poderoso como um muro de fogo em volta deles, queimando qualquer coisa que se aproxime deles para prejudicá-los. Que descrição maravilhosa da proteção de Deus!

Não oro apenas para que Deus proteja meus amados do mal, oro também para que o Senhor os impeça de praticá-lo. Peço que Deus dê a eles força para resistir às tentações de Satanás. Gosto de orar usando a oração que Jesus fez por Pedro, quando Satanás perguntou a Jesus se poderia "peneirar" Pedro. Jesus disse a Pedro: "Simão, Simão, eis que Satanás vos pediu para vos cirandar como trigo; mas eu roguei por ti, para que a tua fé não desfaleça" (Lc 22.31,32).

Certo dia, quando Trisha estava no último ano da faculdade, ela me telefonou para dizer que estava se sentindo espiritualmente esgotada. Por um bom tempo, seus amigos não salvos questionaram sua fé com perguntas consideradas provocativas e aparentemente sem resposta. Ela estava cansada de lutar para defender, vez após vez, sua fé. Trisha tentava viver de acordo com 1 Pedro 3.15: "Antes santificai em vossos corações a Cristo como Senhor; e estai sempre preparados para responder com mansidão e temor a todo aquele que vos pedir a razão da esperança que há em vós".

As perguntas de seus amigos provocaram alguns questionamentos pessoais em minha filha. Antes de adquirir prática para orar, eu teria orado para que o Senhor afastasse esses amigos questionadores da vida de Trisha, pois eles estavam enfraquecendo sua fé. Mas agora, eu sabia que precisava orar para que sua fé não fraquejasse. Orei durante algum tempo para que o

Senhor fortalecesse sua fé. Isso fez com que Trisha se tornasse mais diligente em sua leitura da Bíblia, buscasse o conselho divino e procurasse ler livros que pudessem ajudá-la a defender sua fé.

Orando especificamente

Além de fundamentar-se nas Escrituras, o intercessor deve procurar orar de maneira específica. Em Mateus 20.29-34 encontramos a história de dois homens cegos. Eles estavam sentados junto ao caminho de Jericó quando ouviram falar que Jesus estava passando por ali. Eles então começaram a gritar: "Senhor, Filho de Davi, tem compaixão de nós!" A multidão, porém, mandou que eles parassem de gritar. Mas eles gritavam cada vez mais alto. Vamos acompanhar a história a partir do versículo 32: "E Jesus, parando, chamou-os e perguntou: Que quereis que vos faça? Disseram-lhe eles: Senhor, que se nos abram os olhos. E Jesus, movido de compaixão, tocou-lhes os olhos, e imediatamente recuperaram a vista, e o seguiram".

Bem, Jesus sabia o tempo todo o que aqueles cegos precisavam, mas Ele queria que eles expressassem verbalmente e dissessem em voz alta o que queriam que Ele fizesse.

O que você necessita? Quais as necessidades de seus filhos, de sua família, de sua igreja, de sua comunidade? Jesus está perguntando: "Que quereis que vos faça?"

Lettie Cowman, no livro *Mananciais do Deserto*, aconselha:

> Faça seus pedidos com sinceridade e firmeza se quiser que Ele responda suas orações. A falta de objetividade ao orar é, muitas vezes a causa de nossas

orações não serem respondidas. [...] Apresente seu pedido especificamente, e ele será recebido no céu quando for apresentado em nome de Jesus. Ouse colocar suas necessidades diante de Deus de forma específica.[5]

Vamos orar

Você, como intercessora, tem o privilégio e a responsabilidade de se colocar na brecha em favor de outros e levá-los ao trono da graça de Deus.

Ore com as mesmas palavras usadas por Deus em favor da pessoa por quem você está intercedendo. Peça com ousadia, acreditando nas promessas da Palavra de Deus. (Coloque o nome da pessoa nos espaços em branco). Você poderá encontrar outras passagens das Escrituras para diferentes situações nas páginas 304 a 306. Nas páginas 298 a 300 há uma relação de motivos de oração que podem ser divididos entre os dias da semana, pois algumas vezes os pedidos de oração se acumulam de tal forma que sobrecarregam o intercessor.

Relacionamento com Deus. "Senhor misericordioso, peço-lhe que ________ ame a Deus de todo o seu coração, de toda a sua alma e de todo o seu entendimento" (Mt 22.37).

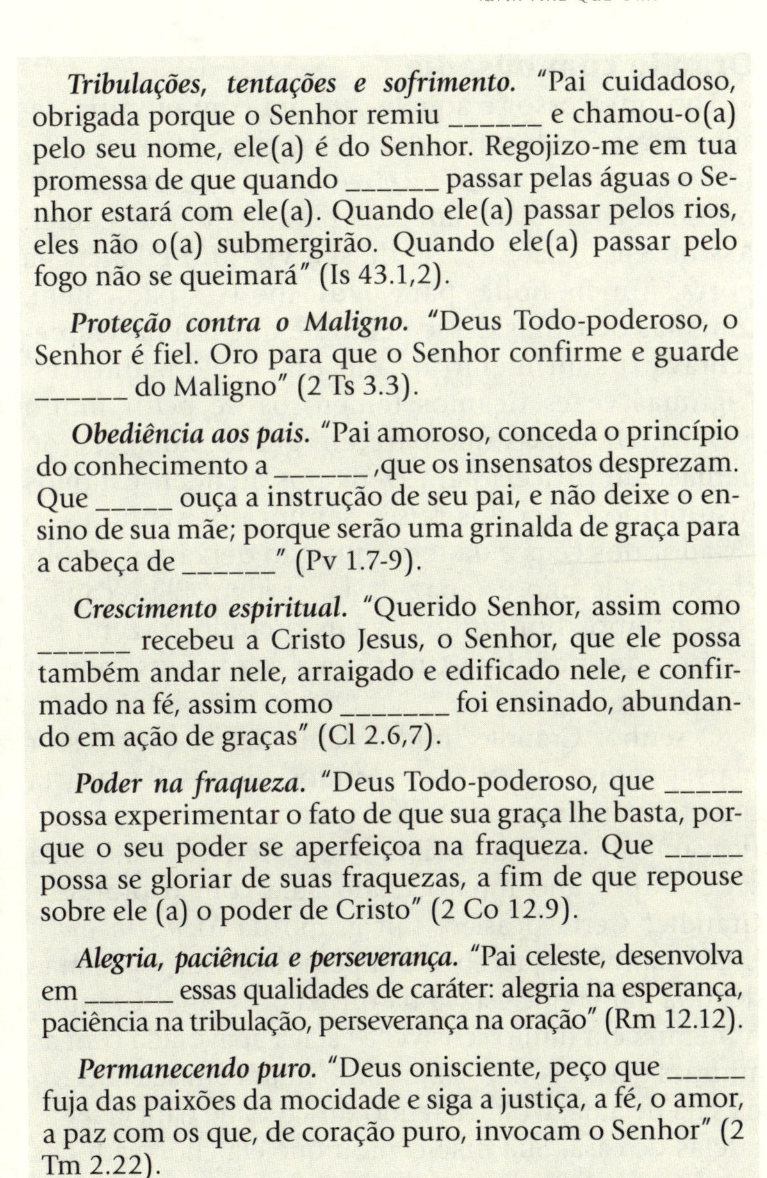

Tribulações, tentações e sofrimento. "Pai cuidadoso, obrigada porque o Senhor remiu ______ e chamou-o(a) pelo seu nome, ele(a) é do Senhor. Regojizo-me em tua promessa de que quando ______ passar pelas águas o Senhor estará com ele(a). Quando ele(a) passar pelos rios, eles não o(a) submergirão. Quando ele(a) passar pelo fogo não se queimará" (Is 43.1,2).

Proteção contra o Maligno. "Deus Todo-poderoso, o Senhor é fiel. Oro para que o Senhor confirme e guarde ______ do Maligno" (2 Ts 3.3).

Obediência aos pais. "Pai amoroso, conceda o princípio do conhecimento a ______,que os insensatos desprezam. Que _____ ouça a instrução de seu pai, e não deixe o ensino de sua mãe; porque serão uma grinalda de graça para a cabeça de ______" (Pv 1.7-9).

Crescimento espiritual. "Querido Senhor, assim como ______ recebeu a Cristo Jesus, o Senhor, que ele possa também andar nele, arraigado e edificado nele, e confirmado na fé, assim como _______ foi ensinado, abundando em ação de graças" (Cl 2.6,7).

Poder na fraqueza. "Deus Todo-poderoso, que _____ possa experimentar o fato de que sua graça lhe basta, porque o seu poder se aperfeiçoa na fraqueza. Que _____ possa se gloriar de suas fraquezas, a fim de que repouse sobre ele (a) o poder de Cristo" (2 Co 12.9).

Alegria, paciência e perseverança. "Pai celeste, desenvolva em ______ essas qualidades de caráter: alegria na esperança, paciência na tribulação, perseverança na oração" (Rm 12.12).

Permanecendo puro. "Deus onisciente, peço que _____ fuja das paixões da mocidade e siga a justiça, a fé, o amor, a paz com os que, de coração puro, invocam o Senhor" (2 Tm 2.22).

Orando com ousadia

Um intercessor é aquele que ora com ousadia. Jesus retrata, de forma vívida, esse tipo de oração em Lucas 11. Um homem recebeu a visita de um amigo, mas não tinha nada em casa para lhe dar de comer. Assim, ele foi até a casa de seu vizinho e bateu na porta, à meia-noite, para pedir-lhe três pães. Bem, uma das ousadias desse pedido é que um pão representava o suprimento de um dia, e ele pediu três. Algumas vezes ficamos temerosos de pedir muito a Deus. Há coisas que parecem grandes demais, ou demasiado difíceis para Deus nos atender. Estamos insultando o Rei dos reis e Senhor dos senhores, o Criador dos céus e da terra quando deixamos implícito que Ele não é capaz de fazer algo. Ele é capaz. Nós estamos honrando a Deus quando trazemos a Ele grandes pedidos. A história a seguir ilustra bem essa verdade.

O senhor Crandle tinha a fama de ser o professor mais rigoroso da escola. Muitos alunos da quarta série ficavam temerosos e, chegavam a tremer, quando ficavam sabendo que teriam que enfrentá-lo na quinta série — um ano inteiro tendo aula com o professor Crandle! Certa ocasião, um grupo da *Moms in touch* [*Mães em contato*] recebeu um pedido de oração da mãe de uma aluna que estava na turma do senhor Crandle. A menina era muito sensível e estava apavorada com as atitudes dele. Ela não sabia como lidar com seus berros na sala de aula, e estava tendo dificuldade para fazer as tarefas de casa. Sua mãe contou que ela chorava todas as noites.

O problema daquela família foi colocado diante do Senhor por várias semanas, e o grupo orou para que aquele professor parasse de gritar. As mães sabiam o quanto é difícil lidar com hábitos arraigados e que apenas o Senhor poderia dar àquele professor sabedoria para controlar sua língua.

Algum tempo depois, Kathy, uma das líderes da *Moms in touch international* [*Mães em contato internacional*], estava conversando com o senhor Crandle quando ele lhe disse: "No começo do ano letivo eu sempre procuro ser rígido e grito muito com os alunos. Isso chama a atenção das crianças e faz com que elas saibam quem está no comando. Mas parece que esta tática não está funcionando com essa turma. Terei que encontrar um método diferente!".

Em seguida ele contou a Kathy que uma família o havia procurado para contar que a filha deles estava apavorada com suas atitudes. Ele então comentou: "Eu não gostaria, por nada deste mundo, de prejudicar nenhuma dessas crianças". Deus realmente respondeu às orações e mudou o coração daquele professor, fazendo com que ele encontrasse uma nova forma de se relacionar com seus alunos.

Nossa tarefa — assim como a de Jesus — é interceder. Nós nos unimos a Ele nesta grande tarefa. Em 1 Timóteo 2.1,3,4 está escrito: "Exorto, pois, antes de tudo que se façam súplicas, orações, intercessões, e ações de graças por todos os homens, [...]. Pois isto é bom e agradável diante de Deus nosso Salvador, o qual deseja que todos os homens sejam salvos e cheguem ao pleno conhecimento da verdade". Portanto, minhas amadas irmãs, "sede firmes e constantes, sempre abundantes na obra do Senhor, sabendo que o vosso trabalho não é vão no Senhor" (1 Co 15.58).

Senhor Todo-poderoso, creio que o Senhor é capaz de responder todas as nossas orações. Assim peço-lhe que me ajude a ser uma intercessora fiel ao orar de acordo com o que está em seu coração. Que eu possa crer, sem duvidar em nenhum momento, que os ataques de Satanás podem ser destruídos pelo poder da Palavra viva de Deus. Peço-lhe que minhas orações não sejam vagas, mas contenha pedidos específicos. Que eu possa orar com ousadia e coragem em favor dos outros e nunca desistir de ficar na brecha. Oro para que o Senhor derrame sobre mim o espírito de intercessão e que eu aguarde para contemplar sua bondade na terra dos homens. Amém.

Parte III

Orando de todo o coração e alcançando o mundo inteiro

8
Orando segundo as promessas de Deus

QUANDO EU ERA CRIANÇA, costumávamos cantar um corinho na Escola Dominical:

Cada promessa da Bíblia é minha,
Cada capítulo, cada versículo, cada frase.
Todas as bênçãos de seu amor divino,
Todas as promessas da Bíblia são minhas.

Será que essas afirmações não são um pouco exageradas? Será que todas as promessas da Bíblia são realmente nossas? Precisamos ter confiança ao orar, e essa confiança deve estar firmada na certeza de que a promessa que reivindicamos é também para nós.

Quando você ora, você reivindica as promessas da Escritura para pessoas ou situações específicas? Note, porém, que precisamos ter em mente que o fato de orarmos de acordo com as promessas de Deus não significa que nossos pedidos serão atendidos da forma como esperamos. A história de Cassandra demonstra bem essa verdade. Leia o que ela nos relata:

> Quando meus filhos estavam na pré-escola, eu costumava me reunir com uma amiga uma vez por semana para orarmos juntas por nossos filhos. Desde então, nunca deixei de participar de um grupo de oração e sempre pude contar com um grupo de mulheres fiéis que oravam pelos meus filhos, assim como eu orava pelos filhos delas. Orávamos reivindicando as promessas de Deus para nossos filhos, para que eles demonstrassem qualidades do caráter divino e, é claro, para que seus futuros cônjuges fossem cristãos.
>
> Desde pequena, minha filha Melissa demonstrou ter uma profunda compreensão do chamado de Deus para sua vida. Ela aceitou o Senhor com pouca idade, e quando estava no jardim da infância ela já falava de Jesus para seus amiguinhos. Já um pouco mais velha, ela costumava passar um longo tempo lendo a Bíblia sozinha e memorizando grandes porções das Escrituras. Seu coração estava voltado para missões, e seu objetivo era integrar-se a algum órgão missionário. Ela era uma criança que parecia não ter problemas, e nós nos alegrávamos ao vê-la caminhar firme com o Senhor.

No entanto, alguma coisa mudou o coração de Melissa quando ela estava na faculdade. Como morávamos longe da universidade, não percebemos logo o que estava acontecendo. Assim que ela concluiu o curso, aconteceu algo que não poderíamos imaginar: ela começou a namorar um rapaz não cristão. Apesar de termos aconselhado e demonstrado claramente nossa preocupação, Melissa acabou se casando com ele.

Ao longo dos anos, Deus havia respondido a tantos de nossos pedidos de oração, mas agora Ele parecia estar indiferente aos nossos pedidos para que Melissa se casasse com alguém que compartilhasse seu desejo de servir o Senhor. A escolha de um companheiro devotado ao Senhor é uma decisão muito importante, que traz conseqüências para as futuras gerações. Quando eu lembrava do fervor que Melissa demonstrava antigamente pelo Senhor, meu coração ficava apertado.

Ao ler o livro de Isaías, fiquei perplexa com a angústia do coração de Deus pelo fato de seu povo, Israel, ter se desviado. Eu quase podia ver as "lágrimas de Deus" em cada página do livro — as lágrimas de um Pai expressando sua dor.

Por fim, meus olhos se abriram: como eu poderia entender o sofrimento do Senhor, chorando por seus filhos perdidos, se não tivesse passado por essa mesma experiência anteriormente? Isso me ensinou a orar com o coração partido pelos pecadores pródigos. Percebi que a oração que considerei como não atendida poderia me conduzir a um conhecimento mais profundo de Deus. Deus, muitas vezes, usa nossas decepções e nossas orações não respondidas para nos ensinar algumas verdades mais profundas. Continuo orando por Melissa e por seu marido, mas agora vejo a situação sob uma nova perspectiva.

O que é uma promessa? O dicionário Houaiss ensina que promessa é "um compromisso oral ou escrito de realizar um ato ou de contrair uma obrigação".[1] Ficamos desapontados quando alguém nos promete alguma coisa e não cumpre. Muitas vezes, a quebra de algumas promessas pode nos causar muito sofrimento.

No entanto, não devemos temer que Deus possa nos causar sofrimento por não cumprir uma de suas promessas. Deus sempre cumpre suas promessas. Davi, no Salmo 138.2, diz o seguinte a respeito de Deus: "pois engrandeceste acima de tudo o teu nome e a tua palavra".

A vida pode trazer sofrimento. Enfermidades, mortes, acidentes e catástrofes podem interromper o curso de nossas vidas, deixando-nos cheios de angústia e temor. Deus permite algumas tempestades em nossas vidas, pois quer testar nossa confiança nele e em sua Palavra. Em Marcos 4 encontramos a história dos discípulos em meio à tempestade — tempestade para a qual o Senhor os conduziu quando disse: "Passemos para o outro lado". Por ser onisciente (conhecer tudo), Ele sabia o que estava para acontecer.

Posso imaginar o medo dos discípulos ao ver as nuvens escuras e a fúria das ondas batendo contra o barco enquanto eles lutavam desesperadamente para não naufragar. Eles estavam à beira da exaustão. Aqueles homens eram pescadores profissionais e já haviam enfrentado muitas tempestades, mas naquele momento se sentiam incapazes de controlar a situação. E Jesus, onde estava? Estava na popa do barco, dormindo. Como Ele conseguia dormir naquelas circunstâncias? Será que Ele não se importava? Será que Ele não percebia que a vida deles estava correndo perigo?

Depois de esgotar todos os recursos, os discípulos, em pânico, acordaram Jesus e lhe perguntaram: "Mestre, não se te dá que pereçamos?" (Mc 4.38).

Você tenta controlar as situações através de suas próprias forças, empregando sua sabedoria e seus próprios recursos? E depois, ao perceber que isso não funciona você apela em desespero para Jesus, clamando: "Senhor, não vê o que está acontecendo? Eu estou me afogando!".

Lembre-se: Jesus está com você no barco! Seja qual for a situação ou tribulação que você está enfrentando, Ele está com você! Ele quer lhe revelar seu poder e mostrar sua glória. Quando enfrentamos as tempestades da vida — e certamente iremos enfrentá-las — Deus está dizendo para nós: "Você confia em Mim? Você crê em minhas promessas? Clama a Mim, e responderei ao seu chamado e mostrarei a você coisas grandes e ocultas. Meus ouvidos estão atentos ao seu clamor. Pois Eu bem sei os planos que estou projetando para vocês, planos de paz, e não de mal, para dar a vocês um futuro e uma esperança. Minha graça é suficiente para você, porque o meu poder se aperfeiçoa na fraqueza" (Jr 33.3; Sl 34.15; Jr 29.11; 2 Co 12.9).

Deus espera que confiemos nele. Ele deseja que os crentes associem sua fé às promessas. A maneira como reagimos diante das dificuldades, das tempestades, está diretamente relacionada ao nosso conhecimento de Deus. Quanto mais o conhecemos, melhor enfrentamos essas situações. Podemos confiar em alguém que conhecemos. O descanso vem da confiança que temos em seu amor fiel e da crença de que Ele nunca deixará de nos dar o que é melhor para nós. É por essa razão que devemos agradecer primeiro, até mesmo antes de provarmos sua resposta a nossos pedidos.

Promessas não cumpridas?

Como devemos agir quando sentimos que estamos orando de acordo com uma promessa das Escrituras, mas Deus nos responde de uma forma diferente daquilo que havíamos pedido? O Dr. De Haan nos ajuda a esclarecer esse assunto:

> A compreensão errada de uma promessa dentro de seu próprio contexto pode induzir a conclusões bastante prejudiciais. Muitas pessoas saem por aí citando versículos bíblicos como se fossem promessas pessoais para elas, quando, na verdade, muitas das promessas da Bíblia se destinavam a alguns personagens específicos, a uma nação ou pessoas, dentro de determinado contexto histórico.[2]

Embora algumas promessas tenham sido dadas a pessoas específicas, será que os princípios não se aplicam a nós? De Haan responde que depende.

> Se a promessa reflete uma característica imutável de Deus e da forma como Ele se relaciona conosco, então é possível concluir que devido ao fato de Ele ser imutável, seu desejo continuará a refletir a promessa em relação a outras pessoas. Por exemplo, quando o

Senhor disse ao apóstolo Paulo: "O meu poder se aperfeiçoa na fraqueza", ele estava se dirigindo a uma situação específica da vida de Paulo — o "espinho na carne", citado em 2 Coríntios 12.7-10. Entretanto, essa verdade se aplica a todas as pessoas que reconhecem sua fraqueza e buscam força em Deus para suportá-la (Ef 1.19).[3]

A promessa feita a Josué em Josué 1.3 é um bom exemplo de uma promessa que não podemos reivindicar para nós. Quando o Senhor disse: "Todo lugar que pisar a planta do vosso pé, vo-lo dei" isso não significa que se você encontrar um bom pedaço de terra e pisar nele o Senhor lhe dará aquela propriedade. No entanto, algumas pessoas têm usado esse versículo para exigir que seus importunos vizinhos não cristãos saiam daquele lugar. Assim, eles andam pelas ruas que circundam o local orando. De fato, é da vontade de Deus que Ele reine em nossas comunidades, mas reivindicar esse versículo como uma promessa para nós é uma suposição equivocada.

O *princípio* encontrado no versículo pode ser aplicado a nós se a oração for a seguinte: "Pai, enquanto ando por essa propriedade, peço-lhe que a terra que foi dada a Satanás volte para o Senhor". Isto certamente é da vontade de Deus. Devemos tomar cuidado ao reivindicar para nós uma promessa que foi feita para um personagem bíblico por um motivo específico.

Promessas incondicionais e condicionais

Algumas promessas de Deus são incondicionais, outras estão sujeitas a determinadas condições. O que significa uma promessa incondicional? De Haan afirma:

Ele promete cumprir sua parte no acordo, independentemente do que fazemos. [...] O cumprimento das promessas incondicionais não depende da fidelidade das pessoas, mas apenas da fidelidade de Deus. Mesmo que sejamos infiéis, Deus não pode fazer nada exceto ser fiel à sua Palavra (2 Tm 2.13).[4]

Estas são as promessas incondicionais:

Deus prometeu a Noé que não haveria mais dilúvio para destruir a terra (Gn 9.8-17).

Davi recebeu a promessa de que a sua linhagem duraria para sempre (2 Sm 7.16).

Jesus prometeu que voltaria para compensar os justos e punir os ímpios (Mt 16.27; 25.31-46).

Jesus prometeu que depois que subisse ao céu Ele enviaria o Espírito Santo (Jo 16.5-15).

Jesus prometeu salvar, guardar e ressuscitar no último dia todos os que crerem nele (Jo 6.35-40).

Jesus prometeu suprir todas as nossas necessidades (Mt 6.25-34).

Jesus prometeu que nos daria tudo o que diz respeito à vida e à piedade para que nos tornássemos participantes da natureza divina (2 Pe 1.3,4).

Temos a garantia da salvação (Jo 10.29).

O que é uma promessa condicional? De acordo com o Dr. Haan, são "promessas que dependem de uma direção (condição) a ser seguida se quisermos desfrutar tudo que Ele tem nos oferecido; as promessas condicionais dependem do cumprimento de certos requisitos".[5]

As promessas condicionais incluem:

Deus prometeu sucesso, prosperidade e proteção *se* o povo obedecesse à lei de Moisés (Js 1.7-9).

Se a pessoa se deleitar no Senhor, então Ele concederá o que o coração dela deseja (Sl 37.4).

Se buscarmos o que tem valor eterno, Deus cuidará de nossas necessidades (Mt 6.25-34).

Se pusermos nossa confiança em Jesus, ganharemos a vida eterna, porém se O rejeitarmos, não poderemos escapar à condenação (Jo 3.16-18).

Se nos submetermos a Deus e resistirmos a Satanás, ele fugirá de nós (Tg 4.7).

Deus nos perdoará *se* confessarmos os nossos pecados (1 Jo 1.9).

Se orarmos conforme o seu desejo, Ele nos ouvirá e fará o que pedirmos (1 Jo 5.14,15).

No Salmo 145 encontramos algumas promessas que se aplicam a todo o povo de Deus e outras que se aplicam apenas a um grupo seleto ou a uma pessoa específica. Encontramos promessas para todos nós nos versículos 9 e 16: "O Senhor é bom para todos, e as suas misericórdias estão sobre todas as suas obras. [...] abres a mão, e satisfazes o desejo de todos os viventes".

A seguir, temos as promessas para grupos específicos: "Perto está o Senhor de todos os que o invocam, de todos os que o invocam em verdade" (v. 18).

Como o Senhor é um Deus fiel podemos contar com suas promessas, pois Ele "não é homem, para que minta; nem filho do homem, para que se arrependa.

Porventura, tendo ele dito, não o fará? ou, havendo falado, não o cumprirá?" (Nm 23.19).

Leslie, uma amiga querida, fez a devocional no chá de bebê de minha "filha do coração" Bonnie. Faltava um mês para o bebê nascer, e já sabíamos que era um menino. Assim, o nome dele seria Joshua [Josué]. Ao fim da devocional, Leslie entregou a cada pessoa ali presente um cartão contendo trechos do livro de Josué para que cada uma delas orasse pelo bebê que estava para nascer.

Uma das amigas de Bonnie orou a promessa de Josué 1.5, com confiança: "Querido Pai de amor, assim como no passado o Senhor prometeu a Josué, oro para que o Senhor seja com Joshua, o bebê de Bonnie e Troy. Obrigada pela promessa de que o Senhor jamais o deixará nem o desamparará" (Hb 13.5).

Outra amiga orou essa promessa *condicional* para meu neto: "Pai, oro para que Joshua faça conforme a lei que seu servo Moisés lhe ordenou; que não se desvie dela nem para a direita nem para a esquerda, a fim de que seja bem-sucedido por onde quer que ande" (Js 1.7).

Uma outra amiga ainda fez uma oração com uma promessa *condicional* para Joshua. "Senhor, oro para que Joshua não aparte da boca dele o livro desta lei, antes medite nele dia e noite, para que tenha o cuidado de fazer conforme tudo que nele está escrito; porque então ele prosperará e será bem-sucedido" (Js 1.8).

Todas essas demonstrações de amor por Joshua, por meio da Palavra de Deus, inspiraram Bonnie de tal forma que mais tarde ela imprimiu todos esses versículos e colocou-os num painel na parede do quarto de Joshua. Ela queria que Joshua soubesse como aquelas mulheres, que nem o conheciam ainda, oraram as palavras de Deus para ele. Bonnie pretendia também ajudá-lo a memorizar cada versículo durante sua infância.

Deus se torna mais próximo de nós quando dizemos a Ele: "Deus, o Senhor prometeu". Ele não pode voltar atrás em suas promessas. Charles Spurgeon expressou isso da seguinte maneira: "Cada promessa das Escrituras é uma escritura de Deus, que podemos pleitear diante dele com um argumento justo: 'Faça de acordo com sua palavra'".[6]

Susan era uma mãe que sabia como orar as promessas de Deus. Enquanto sua filha adolescente estava na escola, ela entrava no quarto dela e clamava ao Senhor horas a fio. Ela me disse: "Derramo meu coração pela vida de minha filha, que se envolveu com drogas e tornou-se rebelde".

Susan orou de acordo com as promessas das Escrituras para que Dannika amasse o Senhor seu Deus, de todo seu coração, de toda sua alma, de todo seu entendimento e de todo seu poder; para que ela soubesse que realmente estava em Cristo, e que foi formada de forma assombrosa e maravilhosa; que ela confiasse no Senhor de todo seu coração e se apoiasse não em seu próprio conhecimento, mas que reconhecesse o Senhor em todos os seus caminhos e o deixasse dirigir seus passos. Que Deus amolecesse seu coração duro e insensível, removesse seu coração de pedra e o trocasse por um coração de carne; que ela apreciasse a companhia daqueles que amam o Senhor e que têm o coração puro;

que ela odiasse aquilo que Deus odeia; que as mentiras estivessem distantes de seus lábios; que ela clamasse a Deus e o Senhor a livrasse de seu desespero, a curasse e a resgatasse; que Deus destruísse as amarras na vida de Dannika (as drogas, a disfunção alimentar, relacionamentos não saudáveis, a boca suja, a desobediência, a rebeldia, a desonestidade e o desrespeito).

A seguir, Susan orou por ela mesma, pois além dos problemas com Dannika, ela estava enfrentando dificuldades com seu marido e com os três filhos. "Procurava consolo constantemente na Palavra de Deus", disse Susan, principalmente nestas: "Não tema porque estou com você, não desanime pois Eu sou o seu Deus. Eu a fortalecerei e a ajudarei".

"As promessas de Deus têm me sustentado e continuarão sustentando até o dia em que verei o Senhor face a face", disse Susan. Ela nos contou logo depois que três anos depois de ter começado a orar fervorosamente por sua filha, apoiada nas promessas de Deus, ela recebeu a Cristo como seu salvador e foi batizada.

Susan não poderia ter orado da maneira como orou se não conhecesse as promessas de Deus. Essa verdade pode ser aplicada a cada uma de nós. Se não sabemos quais são as promessas, não podemos orar de acordo com o que Ele nos prometeu. Não podemos orar por nós mesmos, nem por nossos maridos, nem por nossos filhos, nem pela nossa igreja, nem pela nossa comunidade. Devemos conhecer bem as Escrituras para podermos declarar como Jeremias: "Acharam-se as tuas palavras, e eu as comi; e a tuas palavras eram para mim o gozo e alegria do meu coração; pois levo o teu nome, ó Senhor Deus dos exércitos" (Jr 15.16).

O poder de uma vida de oração está em orar de acordo com as promessas de Deus. Que possam dizer de nós aquilo que foi dito de Abraão: "Contudo, à vista da promessa de Deus, não vacilou por incredulidade, antes foi fortalecido na fé, dando glória a Deus, e estando certíssimo de que o que Deus tinha prometido, também era poderoso para fazer" (Rm 4.20,21).

Minha fé vacilou um pouco em relação a minha filha. Quando Trisha estava no último ano do ensino médio, eu orava por ela regularmente de acordo com a promessa encontrada no Salmo 32.8: "Instruir-te-ei [Trisha], e ensinar-te-ei o caminho que deves seguir; aconselhar-te-ei tendo-te sob a minha vista". Este texto acalmou meu coração no momento em que ela enfrentava a difícil decisão de escolher para qual universidade deveria ir. Eu tinha minha própria opinião em relação ao lugar para onde o Senhor poderia enviá-la. Bem perto de nossa casa — apenas a quarenta e cinco minutos de distância — há uma universidade cristã. Imaginei que este seria um lugar seguro para ela. Como Trisha é a caçula da casa e a única menina, gostaria que ela ficasse perto de nós, como também desejava que ela estivesse em um ambiente que seguisse as mesmas bases de fé que ela havia recebido. Assim, orei sinceramente para que a vontade do Senhor fosse feita. Trisha visitou muitas universidades, inclusive aquela que ficava a apenas quarenta e cinco minutos de nossa casa.

Como ela também estava orando sobre essa questão, eu sabia que Deus iria guiá-la e instruí-la a decidir o que seria melhor para sua vida. Ele estaria ao lado dela, orientando todos os seus passos.

Sempre que eu duvidava dessa promessa, Deus me envolvia na rede segura de sua soberania. Lembro-me de um dia em que me senti particularmente inquieta. Abri a Bíblia e li Atos 17.26,27: "E [Deus] de um só fez todas as raças dos homens, para habitarem sobre toda a face da terra, *determinando-lhes os tempos já dantes ordenados e os limites da sua habitação*; para que buscassem a Deus, se porventura, tateando, o pudessem achar, o qual, todavia, não está longe de cada um de nós" (grifo da autora).

O Espírito Santo tocou meu coração com essa verdade maravilhosa e imediatamente comecei a orar: "Soberano Deus, muito obrigada por essas palavras reconfortantes de que nossos filhos estão onde o Senhor os colocou. O Senhor já estabeleceu de antemão o lugar e o tempo exato onde eles irão viver assim como as circunstâncias em que buscarão por Jesus e o encontrarão. Portanto, meu Pai, não preciso me preocupar nem temer porque posso confiar na soberania do Senhor".

Após esse período de oração, consegui mais uma vez entregar meu precioso tesouro, minha Trisha, para o meu Deus, em quem eu posso confiar. Como Deus respondeu à minha oração? Ele escolheu enviá-la para uma universidade secular que ficava a dez horas e meia de nossa casa. E foi exatamente ali que sua fé e sua intimidade com Jesus se tornaram mais profundas.

"Há alguma coisa demasiado difícil para mim?"

Nossa fé aumenta à medida que oramos de acordo com as promessas de Deus e cremos naquele que diz: "Há alguma coisa demasiado difícil para mim?" (Jr 32.27). A Palavra afirma enfaticamente que "nada é impossível para Deus" (Lc 1.37).

Precisamos orar para que nossa fé não seja limitada. A fé limitada é regulada pelas circunstâncias e induzida pelo medo. A fé ilimitada, porém, mantém os olhos fixos em Jesus, o autor e consumador da nossa fé.

Certa ocasião, um pequeno vilarejo foi sacudido por um terremoto, fazendo seus habitantes tremerem de medo. No entanto, eles ficaram admirados ao notar a aparência calma e alegre de uma senhora. Intrigado com aquilo, um dos habitantes do vilarejo perguntou-lhe: "A senhora não está com medo?" "Não", ela respondeu. "Eu me alegro em saber que tenho um Deus capaz de sacudir o mundo".

Deus se compraz quando acreditamos no que Ele diz e oramos de acordo com suas próprias palavras, pois "sem fé, é impossível agradar a Deus; pois quem dele se aproxima precisa crer que Ele existe e que recompensa aqueles que o buscam" (Hb 11.6 NVI).

Como podemos ter fé? Em Romanos 10.17 lemos que "a fé é pelo ouvir, e o ouvir pela palavra de Cristo". É a Palavra de Deus que faz crescer a nossa fé.

Qual o tamanho da nossa fé? Jesus nos dá a resposta: "Pois em verdade vos digo que, se tiverdes fé como um grão de mostarda, direis a este monte: Passa daqui para acolá, e ele há de passar; e nada vos será impossível" (Mt 17.20). Isso não é impressionante? Não importa o tamanho da nossa fé, o que importa é o objeto da nossa fé. Deus nos revela "coisas grandes e ocultas" (Jr 33.3) à medida que pedimos conforme sua Palavra.

Isso se mostrou verdadeiro na vida de uma esposa desesperada, que enfrentava as dificuldades de um casamento infeliz. Ela já não tinha mais nenhuma esperança. O marido dela não ia à igreja, e também não buscava ajuda de um conselheiro. Há anos que ela orava pedindo que Deus mudasse o coração de seu marido. A situação havia chegado a tal ponto que ela já não nutria nenhum sentimento por ele. Sentia-se sozinha, traída e espiritualmente esgotada.

Até que Deus falou ao seu coração através do texto de 1 Pedro 3.1,2: "Semelhantemente vós, mulheres, sede submissas a vossos maridos; para que também, se alguns deles não obedecem à palavra, sejam ganhos sem palavra pelo procedimento de suas mulheres, considerando a vossa vida casta, em temor". A Palavra de Deus fez com que ela percebesse que seu procedimento não era puro nem respeitoso e que suas palavras freqüentemente não eram amáveis. Portanto, seu marido não poderia ver Jesus através de sua vida. Ele se queixava do fato de que sua esposa era gentil, amável e paciente com todos, exceto com ele. Ela então se apropriou da promessa de 1 Pedro e pediu que Deus a ajudasse a ser o tipo de esposa descrita naquela passagem.

> Isso não é impressionante? Não importa o tamanho da nossa fé, o que importa é o objeto da nossa fé. Deus nos revela "coisas grandes e ocultas" à medida que pedimos conforme sua Palavra.

Ela também pediu para que Jesus amasse seu marido por meio dela, pois se sentia incapaz de fazer isso. Deus ouviu sua singela oração reivindicando essa promessa e como ela havia decidido fazer a vontade de Deus em sua vida, Ele mudou seu coração. Primeiro, ela decidiu amar o marido da maneira como ele era. Ela percebeu que só Deus seria capaz de transformar o coração de seu marido e que seus pedidos insistentes só serviam para deixá-lo ainda mais aborrecido. A partir desse dia, ela começou a prestar atenção em suas palavras e passou a orar pelo marido de acordo com as Escrituras. Ela percebeu que à medida que seu relacionamento com Jesus se tornava mais profundo, seu espírito se tornava mais amável e afetuoso em relação ao marido. Ela decidiu também concentrar o foco nas qualidades de seu marido, e não nos defeitos, e elogiá-lo através de palavras de ânimo e de encorajamento. Sua fé se fortaleceu, e ela descobriu que a melhor coisa é acreditar que: "O Senhor não retarda a sua promessa, ainda que alguns a têm por tardia; porém é longânimo para convosco, não querendo que ninguém se perca, senão que todos venham a arrepender-se" (2 Pe 3.9).

Ela disse: "Percebi que se Deus é paciente, eu também posso ser. Levou décadas, mas meu marido agora é um crente em Jesus". Sempre que ela e o marido vão à igreja e oram juntos, ela se alegra pela fidelidade de Deus em cumprir suas promessas.

Jill também descobriu que Deus é fiel às suas promessas. Ela sabia que nem ela nem seus filhos amavam o Senhor de todo coração, de toda alma, de todo entendimento e de toda força. Ela disse: "Eu não podia contar isso para ninguém, pois poderiam pensar que eu era uma péssima pessoa. No entanto, em meu coração, eu sabia que isso era verdade. Comecei a orar diariamente, por mim e por meus filhos, a passagem de Efésios 3.18, pedindo ao Senhor que nos fizesse compreender 'qual seja a largura, e o comprimento, e a altura, e a profundidade' do amor de Cristo. Algum tempo depois, durante as férias de verão, meu filho Josh ligou para o meu celular. Ele estava com a voz embargada, e mal podia falar. É claro que fiquei assustada, mas, a seguir, ele disse: 'Mãe, só queria que você soubesse que eu fiquei maravilhado ao saber o quanto Deus me ama. Mãe, Ele é tão real. Você já foi dominada por essa sensação?' Desliguei o telefone e chorei de alegria. Só através da oração meus filhos poderiam ser transformados de modo a perceber o amor de Deus de forma tão clara. Eu orei muito para que essa verdade calasse fundo na vida de meu filho. Sinto que a oração fundamentada na Palavra de Deus permite que ela penetre profundamente em nosso espírito."

Julie confessou-me que sua fé foi provada ao orar o texto de Isaías 61.3 pelas suas filhas adolescentes. Ela orou para que suas filhas pudessem ser chamadas de "árvores de justiça" e "plantação do Senhor", para que Ele fosse glorificado. "Muitas vezes, o comportamento delas era exatamente o oposto de minhas expectativas para que se tornassem 'árvores de justiça'", disse Julie.

Certa ocasião, sua filha mais velha, Cindy, estava indecisa; ela não tinha certeza se queria ou não ir a um baile. No último minuto, resolveu ir, já que sua irmã, Carole, também ia. No dia seguinte, Carole confidenciou à mãe que Cindy havia dançado de maneira inadequada.

"Não queria trair a confiança de minha filha", disse Julie, "mas queria que viesse à tona o que Cindy fizera. Portanto, busquei ao Senhor em oração, em vez de discutir o problema com Cindy".

Quando fomos à igreja, no domingo, Cindy disse que queria conversar com a esposa do líder dos jovens, pois tinha feito algumas coisas no baile que desonravam a Deus. Ela já havia confessado a Deus, mas gostaria de falar com alguém sobre o que havia acontecido.

"Fiquei muito agradecida a Deus, pois Ele evitou que eu forçasse minha filha a confessar o que ela havia feito", disse Julie. "Estou tranqüila, pois sei que o Espírito Santo habita no coração de minha filha; ele fala com ela, convence-a do pecado e guia seus passos. Ele está fazendo com que minha filha se torne verdadeiramente uma mulher 'de justiça' para glorificar a Deus".

Vamos orar

A lista abaixo contém as promessas que você pode reivindicar. Para encontrar outras promessas, consulte as páginas 304 a 306.

Concentre-se em uma promessa por dia ou por semana. Escreva o versículo em um cartão pequeno e procure memorizar suas palavras. No verso desse cartão, escreva o que essa promessa significa para você. A seguir, escreva uma oração ao Senhor reivindicando essa promessa para você.

Salvação: "Porque Deus amou o mundo de tal maneira que deu o seu Filho unigênito, para que todo aquele que nele crê não pereça, mas tenha a vida eterna" (Jo 3.16).

Nova Criatura: "Pelo que, se alguém está em Cristo, nova criatura é; as coisas velhas já passaram; eis que tudo se fez novo" (2 Co 5.17).

Provisão: "Até agora nada pedistes em meu nome; pedi, e recebereis, para que o vosso gozo seja completo" (Jo 16.24).

Vitória: "Não vos sobreveio nenhuma tentação senão humana; mas fiel é Deus, o qual não deixará que sejais tentados acima do que podeis resistir, antes com a tentação dará também o meio de saída, para que a possais suportar" (1 Co 10.13).

Perdão: "Se confessarmos os nossos pecados, ele é fiel e justo para nos perdoar os pecados e nos purificar de toda injustiça" (1 Jo 1.9).

Encorajamento: "Tenho-vos dito estas coisas, para que em mim tenhais paz. No mundo tereis tribulações; mas tende bom ânimo, eu venci o mundo" (Jo 16.33).

Propósito: "Pois eu bem sei os planos que estou projetando para vós, diz o Senhor; planos de paz, e não de mal, para vos dar um futuro e uma esperança" (Jr 29.11).

Achando a Deus: "Buscar-me-eis, e me achareis, quando me buscardes de todo o vosso coração" (Jr 28.13).

Temor: "Não temas, porque eu sou contigo; não te assombres, porque eu sou teu Deus; eu te fortaleço, e te ajudo, e te sustento com a destra da minha justiça" (Is 41.10).

Paz: "Tu conservarás em paz aquele cuja mente está firme em ti; porque ele confia em ti" (Is 26.3).

Confiança: "Posso todas as coisas naquele que me fortalece" (Fp 4.13).

Orientação: "Instruir-te-ei, e ensinar-te-ei o caminho que deves seguir; aconselhar-te-ei tendo-te sob a minha vista" (Sl 32.8).

Se Deus não tem respondido às suas orações e você está desanimada e cansada, a ponto de perder a esperança, segure firmemente sua Bíblia e diga: "Pai celeste, o Senhor prometeu". A seguir, leia em voz alta a promessa. Sua esperança será renovada.

Tocando o céu, mudando a terra

Quando oramos, estamos tocando o céu e mudando a terra. Ron Hutchcraft, um conhecido conferencista, declarou: "Deus coloca todos os seus recursos à disposição de seus filhos. Ele concede-nos seus recursos infinitos e promete que nossa oração de fé é capaz de liberá-los para serem usados, conforme nossas necessidades, na situação que enfrentamos ou com a pessoa que amamos. Sempre que você for orar, lembre-se que você está realmente tocando o céu e mudando a terra".[7]

Em nossos grupos de oração nós pedimos a Deus para que nossos filhos sejam descobertos sempre que fizerem algo errado. Cremos que quando isso acontece, eles têm a oportunidade de ouvir o que Deus está lhes dizendo e de serem obedientes, procurando fazer a vontade do Pai. Tenho visto seguidamente crianças sendo curadas, restauradas e perdoadas depois de terem enfrentado as conseqüências de suas próprias ações.

> Quando oramos, estamos tocando o céu e mudando a terra.

Paula pôde comprovar essa verdade na vida de sua filha. Ela contou-me que sua filha foi descoberta na primeira vez que cabulou aula. Quando ela estava sendo levada para a diretoria da escola, um cristão que trabalhava na secretaria perguntou-lhe o que havia acontecido. Ela contou rapidamente o ocorrido, lamentando o fato de ter sido descoberta, já que outros alunos cabulavam continuamente as aulas e nunca eram descobertos. O funcionário então lhe disse que ela era santificada (separada) para servir a Deus. Ao chegar em casa, ela ficou surpresa quando sua mãe lhe contou que seu grupo de oração orava para que os filhos fossem descobertos quando fizessem alguma coisa errada, e no início da semana as mães haviam orado para que seus filhos se santificassem ao Senhor, exatamente o que aquele funcionário havia compartilhado com ela.

As promessas de Deus nos mostram como devemos orar naquelas situações que não sabemos o que pedir, pois nossa mente está cansada e nosso coração pesado. As promessas do Senhor também nos ajudam a orar continuamente, ao oferecermos de volta ao Senhor, vez após vez, suas próprias palavras. Portanto, quando essas orações são respondidas toda a glória pertence a Ele, o autor e consumador de nossa fé.

Gostaria de encerrar este capítulo com as palavras de um hino bastante conhecido. Esta é minha oração por você.

Firme nas promessas do meu Salvador,
Cantarei louvores ao meu Criador;
Fico pelos séculos de seu amor,
Firme nas promessas de Jesus.

Firme nas promessas não irei falhar,
Vindo as tempestades a me consternar;
Pelo Verbo eterno eu hei de trabalhar,
Firme nas promessas de Jesus.

Firme nas promessas sempre vejo assim
Purificação no sangue para mim;
Plena liberdade gozarei sem fim,
Firme nas promessas de Jesus.

Firme nas promessas do Senhor Jesus,
Em amor ligado com a sua cruz,
Cada dia mais alegro-me na luz,
Firme nas promessas de Jesus.
R. Kelso Carter
Hino 154 Cantor Cristão

9
Oração unânime

UMA NOITE, KERRIE TEVE UM PESADELO. Ela sonhou que uma bonita jovem pedia para sua filha, Nichole, atravessar uma ponte sobre uma calçada de concreto, pois precisava falar com ela. Porém, enquanto Nichole caminhava sobre a ponte, esta começou a desmoronar. Assustada, ela agarrou-se firmemente ao corrimão, enquanto pedaços da ponte caiam na calçada. A jovem mulher sorriu e seu semblante modificou-se, revelando uma fisionomia horrível. Ela havia enganado Nichole. Kerrie correu até a ponte em ruínas e agarrou a mão de Nichole, esforçando-se para não soltá-la.

"Eu estava com medo de não conseguir segurar a mão de minha filha", recorda Kerrie. "Mas, a seguir, senti que uma outra mão segurava a minha, ajudando-me a puxar minha filha com força para um local seguro. Depois, senti que minha força aumentava ainda mais, e ao olhar para trás, vi uma corrente de pessoas, uma segurando na mão da outra, ajudando-me a puxar Nichole para um lugar seguro. Naquele momento, percebi que aquelas pessoas eram nossos intercessores — aqueles que oravam por nós".

Quando Kerrie acordou, ela entendeu que seu sonho se referia a *Moms in touch* (*Mães em contato*). Ela disse: "Sou extremamente grata por essas mães separarem um tempo e se unirem a outras mães para orarem em favor de seus filhos e dos filhos de outras pessoas".

Algumas mães costumam me perguntar: "Por que preciso me reunir com outras mulheres para orar? Eu já oro todos os dias por meus filhos". Respondo dizendo que, antes de mais nada, a Bíblia recomenda que oremos junto com outras pessoas. As Escrituras relatam várias situações em que o povo de Deus se reuniu para orar, especialmente nos momentos de crise.

Glenda pôde constatar a importância de poder contar com um grupo de oração ao enfrentar uma crise em sua vida. Quando Michelle, a filha de Glenda, tinha doze anos, ela recebeu o diagnóstico de leucemia. Os médicos disseram a Glenda que sua filha tinha apenas 65% de chance de sobrevivência.

"Em situações assim, é difícil orar", Glenda admitiu. "Você se sente paralisada e sem forças para fazer o que quer que seja. Eu fiz muitas orações rápidas, mas sei que as orações dos outros é que me deram forças e me sustentaram naqueles dias dificeis".

Glenda morava no Alasca, por isso ela e Michelle tiveram que ir a Seattle para o tratamento médico. Seu grupo de oração no Alasca orou por mais de sete meses não apenas por elas, mas também pelos demais membros da família. As mães traziam refeições para os outros dois filhos de Glenda e para seu marido. Como um dos irmãos de Michelle tinha medula compatível com a dela, um transplante poderia aumentar suas chances de sobrevivência. Porém, mesmo depois do transplante, Michelle passou por vários períodos em que sua vida esteve por um fio. Enquanto isso, o grupo de oração permanecia intercedendo.

Por fim, chegou o dia em que Michelle e a mãe voltaram para casa. Como Michelle precisava de um ambiente totalmente asséptico, sem nenhum germe, o grupo de oração de Glenda arrumou e limpou a casa antes que a paciente e a mãe retornassem.

"Em agosto desse ano, seis anos após o diagnóstico da doença, retornamos a Seattle para uma avaliação", disse Glenda. "Ouvimos dos médicos aquilo que esperávamos ouvir há muito tempo: Michelle estava curada. Louvamos a Deus — e agradecemos a Ele pelo nosso grupo de oração, que intercedeu fielmente por nós durante o longo período em que lutamos contra o câncer".

As Escrituras relatam um outro tipo de luta, muito diferente daquela de Glenda. O texto de 2 Crônicas 20 conta que três exércitos poderosos declararam guerra ao rei Jeosafá, com o intuito de destruir o povo de Judá. O que Jeosafá fez? Ele reuniu seu povo de todos os cantos da nação, jovens e velhos, para que orassem juntos a Deus. No dia seguinte, Deus lutou por eles e destruiu os inimigos da nação.

Em outro texto das Escrituras, encontramos os discípulos de Jesus enfrentando uma crise emocional. Depois de depositarem todas as suas esperanças e sonhos em seu Mestre e Amigo, eles testemunharam a morte cruel de Jesus. Em seguida, eles viram Jesus retornar dos mortos para abandoná-los novamente ao ascender aos céus em uma nuvem. Eles estavam confusos. No entanto, não se dispersaram. Eles precisavam uns dos outros, então se reuniram no cenáculo e oraram, derramando diante do Senhor toda a aflição de seus corações. Em Atos 1.14 lemos: "Todos estes perseveravam unanimemente em oração". Através desse pequeno grupo de assustados seguidores de Jesus — que oravam juntos — Deus virou o mundo de cabeça para baixo. Isso não é incrível?

Através desse pequeno grupo de assustados seguidores de Jesus — que oravam juntos — Deus virou o mundo de cabeça para baixo. Isso não é incrível?

Deus leva em conta nossas orações comunitárias e as responde, mesmo quando nossa fé é fraca. O rei Herodes ordenou que colocassem Pedro na prisão e o mantivessem sob severa vigilância. Contudo, a igreja orou fervorosamente. "Ora, quando Herodes estava para apresentá-lo, nessa mesma noite estava Pedro dormindo entre dois soldados, acorrentado com duas cadeias e as sentinelas diante da porta guardavam a prisão. E eis que sobreveio um anjo do Senhor, e uma luz resplandeceu na prisão; e ele, tocando no lado de Pedro, o despertou" (At 12.6,7). Pedro estava tão em paz que dormia profundamente. O mensageiro celestial ordenou que Pedro se vestisse, conduziu-o para fora da cela e, abrindo as portas trancadas da prisão, levou-o até a rua.

Como sabemos que foi isso que aconteceu? Pois em Atos 12.11,12 lemos: "Pedro então, tornando a si, disse: Agora sei verdadeiramente que o Senhor enviou o seu anjo, e me livrou da mão de Herodes e de toda a expectativa do povo dos judeus. Depois de assim refletir foi à casa de Maria, mãe de João, [...] *onde muitas pessoas estavam reunidas e oravam*" (ênfase da autora). Enquanto eles estavam reunidos em oração para que Pedro fosse libertado, ele bateu à porta. Quando a criada, Rode, viu que era Pedro que estava ali, foi correndo contar aos discípulos, porém eles não acreditaram em suas palavras, e disseram: "Estás louca" (v. 15).

Não sei quanto a você, mas eu me identifico com os discípulos. Muitas vezes eu me surpreendo quando Deus responde às minhas orações.

Liberando poder

O texto de Deuteronômio 32.30,31 demonstra como o poder de Deus é liberado quando duas ou mais pessoas se unem em oração. "Como poderia um só perseguir mil, e dois fazer fugir dez mil, se a sua Rocha não os vendera, e o Senhor não os entregara? Porque a sua rocha não é como a nossa Rocha, sendo até os nossos inimigos juízes disso". O pastor Ray Stedman explica o texto da seguinte maneira:

> Essa é uma proporção estranha, não é mesmo? A lógica diria que se um pode perseguir mil, então dois

poderiam perseguir dois mil — um feito notável de qualquer maneira. No entanto, a verdade espiritual transcende a mera lógica e a aritmética! O Senhor diz que quando dois cristãos se juntam para buscar o amor de Deus há um acréscimo exponencial no efeito de suas orações! Dois não fazem apenas dois mil fugir, mas dez mil![1]

Imagine só, quando você tem um parceiro de oração, você se torna dez vezes mais forte!

Quando ouço uma mãe dizendo que só tem uma parceira para orar com ela, percebo seu desapontamento. Contudo, digo-lhe: "Mas isso é maravilhoso! Você é tão privilegiada!" Compartilho então com essa mãe o texto de Deuteronômio para mostrar-lhe como a oração de duas pessoas pode ser poderosa. Podemos formar vários grupos de oração: grupo de casais, de vizinhos, de solteiros, de mães etc. Sempre que encontramos outras pessoas que compartilham nossas preocupações e que desejam orar, encontramos um grupo de oração.

Orar com outras pessoas (ou com mais uma apenas) é o que eu chamo "conversar em oração unanimemente". O que torna uma conversa agradável? Ouvir atentamente, deixar o outro falar, demonstrar interesse pelos problemas do outro, não monopolizar a conversa e ter um assunto em comum. Na oração unânime os participantes oram como se estivessem desfrutando de uma boa conversa.

Orando em voz alta

A oração unânime é feita em voz alta. Reconheço que aqueles que nunca oraram em voz alta podem achar essa perspectiva assustadora. Rosalind Rinker, em seu livro *Prayer: conversing with God* (*Oração: conversando com Deus*), dá-nos esperança.

> Qualquer pessoa que pertença a Jesus Cristo e o confesse como Senhor e Salvador pode ficar livre do medo de orar em público. O primeiro passo é pedir a Ele para nos libertar desse medo. Leia 2 Timóteo 1.7: "Porque Deus não nos deu o espírito de covardia, mas de poder, de amor e de moderação". [...] Vá em frente, mesmo se no início você gaguejar ou chorar enquanto ora. Através de sua fraqueza seu irmão se torna forte. [...] Ao notar sua fraqueza e sentir que você não está em melhores condições do que ele, seu irmão se fortalece. Ele é encorajado pelas suas "fraquezas" e desse modo pode também ter um encontro com o Senhor, apesar de suas fraquezas. [...] Se faço uma oração "espiritual", longa e com belas palavras, da qual me sinto orgulhoso, a quem essa oração poderá ajudar? Nem a mim, nem ao meu irmão.[2]

Você pode falar com Deus como se estivesse conversando com a pessoa que está sentada ao seu lado no grupo de oração. Você está conversando com Deus, portanto, "quanto mais natural for a oração", observa Rosalind Rinker, "mais real Ele se torna".[3] A linguagem formal é opcional — de modo geral não usamos esse tipo de linguagem quando estamos conversando com outras pessoas. Além disso, o que realmente importa não é se você usa palavras bonitas, mas se suas palavras vêm do fundo do seu coração.

"Eu não queria participar daquele grupo", Kari admitiu. "Uma amiga bem-intencionada praticamente me obrigou a ir à reunião de *Moms in touch* (*Mães em contato*)". Eu estava preocupada, pois não conseguia orar com facilidade. Eu havia me convertido recentemente e não era tão boa para orar quanto essas guerreiras de oração. Temia fazer o papel de tola!

"Graças às novas amigas do *Moms in touch international* (*Mães em contato internacional*), percebi o quanto estava enganada. As pessoas desse grupo não se reúnem para julgar a capacidade de orar de outras pessoas. Elas estão ali para orar por seus filhos. Para isso, não é preciso ser eloqüente, basta apenas orar. Também não é preciso impressionar os outros, mas apenas orar por nossos filhos."

"Quase perco a oportunidade de fazer algo realmente importante pelos meus filhos — separar uma hora por semana para orar por eles, por seus professores e por suas escolas."

"Meu coração ainda dispara, fico nervosa e com as palmas das mãos úmidas sempre que oro em voz alta, mas isso não tem importância. Deus escuta minhas orações e as responde."

Uma das líderes da *Moms in touch international* (*Mães em contato internacional*) da Tailândia, compartilhou conosco essa surpreendente história: "Convidei uma mãe tailandesa, que aceitara a Cristo há pouco tempo, para comparecer às reuniões do *Moms in touch international* (que na Tailândia são chamadas *Maah phu huang yai, Mães que se Preocupam Muito*). Depois de apresentá-la às outras duas mulheres do grupo, ela cochichou no meu ouvido: 'Sabe, nunca orei em voz alta antes'. Respondi: 'Tudo bem. Sente-se conosco, e se você quiser, apenas escute, mas se quiser tentar, junte-se a nós, pois orar nada mais é do que falar com Jesus por meio de frases e palavras simples'. Essa querida irmã orou em voz alta durante o período de louvor, de gratidão e de intercessão! Quando nossa reunião terminou, perguntei-lhe: 'Então, o que você queria dizer quando disse que não sabia orar em voz alta?'. Ela respondeu: 'Fui budista por muitos anos, e quando eu queria fazer uma oração em voz alta para Buda, as palavras não saíam de minha boca... Sou cristã há apenas quatro dias e, nesse período de oração de uma hora, as palavras de louvor, de agradecimento e de intercessão pelos outros a Deus pareciam fluir dos meus lábios. Jamais experimentei algo parecido!'".

Lembre-se, oração unânime é simplesmente conversar com Jesus. Imagine que Ele está bem no meio do seu grupo de oração.

Orando um assunto de cada vez

A oração unânime implica *orar um assunto de cada vez*. Em uma conversa normal, se eu digo: "Meu marido perdeu o emprego essa semana. Estamos muito ansiosos a respeito do futuro", e minha amiga responde: "Meu filho tirou dez na prova final de inglês e será homenageado em sua formatura na semana que vem" isso demonstraria falta de sensibilidade e seria um exemplo de má conversação. Quando um grupo ora em unanimidade, todos se concentram em um tópico de cada vez, indo e voltando ao assunto conforme a orientação do Espírito Santo. As pessoas podem orar várias vezes sobre o mesmo assunto, porém ninguém monopoliza a conversa. Depois de esgotado o assunto, pode ocorrer um período de silêncio, em que o grupo espera que Deus revele a alguém o próximo assunto. O novo tópico é introduzido através da oração — ele não é compartilhado; é orado.

No clássico de Evelyn Christenson, *What happens when women pray* [O que acontece quando as mulheres oram], ela nos diz: "Quando os participantes aprendem a orar unanimemente, a oração ganha impulso e torna-se mais espontânea. [...] Quando os membros do grupo adquirirem prática nesse tipo de oração, as pulsações espirituais de todos eles irão vibrar juntas, de forma que cada pessoa sentirá a direção do Espírito Santo ao chegar o momento de começar um novo assunto".[4]

Nancy, por exemplo, carregava um fardo por seu filho. O grupo orou por ele até que o Espírito as conduziu para um novo tópico.

Nancy orou: "Pai gracioso, meu filho está namorando uma moça não cristã, e ela o tem incentivado a participar de atividades que não agradam ao Senhor. Assim, peço que o Senhor afaste essa moça da vida dele".

A segunda mãe orou: "Senhor, abra os olhos espirituais dele para que possa ver o caminho destrutivo que ele está seguindo. Oro para que ele tenha vontade de agradar ao Senhor".

A terceira mãe orou: "Eu concordo com minhas irmãs, Pai. Pedimos para que o Senhor intervenha, fazendo o que for necessário, para impedi-lo de continuar fazendo escolhas erradas".

A segunda mãe orou novamente: "Senhor, oramos também pela salvação dessa moça. Sabemos que é seu desejo que ninguém se perca. Que ela possa entender que o Senhor a ama e que morreu por ela".

"Ouvir outras mães orando por meu filho foi algo que me ajudou muito", disse Debbie, uma mãe bastante ativa no *Moms in touch international* (*Mães em contato internacional*). "Isso me fez enxergar alguns aspectos da vida de meu filho pelos quais eu poderia interceder. Pelo fato de não estarem diretamente envolvidas na questão, as outras mães podiam perceber algumas coisas que jamais me ocorreriam."

Uma mãe salvadorenha testifica o poder da oração unânime. "Minha filha, que já está com quase dezenove anos, não queria freqüentar o grupo de jovens da igreja, alegando que o pastor dos jovens era muito chato. Orei sozinha a respeito desse assunto por um bom tempo, mas não obtive qualquer resposta. Até que, num certo dia, resolvi orar por esse mesmo assunto com uma amiga querida. Duas semanas mais tarde, minha filha me falou que iria à reunião do grupo de jovens. Já faz quase dois meses que isso aconteceu, e ela tem freqüentado fielmente todas as reuniões aos sábados à noite, assim como tem incentivado outras jovens a fazerem o mesmo".

Orando em harmonia

A oração unânime é uma oração em concordância. Mateus 18.19,20 afirma: "Se dois de vós na terra concordarem (unirem-se de forma harmoniosa, como numa sinfonia) acerca de qualquer coisa que pedirem, isso lhes será feito por meu Pai, que está nos céus. Pois onde se acham dois ou três reunidos (reunidos como seguidores de Jesus) em meu nome, aí estou eu no meio deles". Concordar em oração significa que os crentes estão orando em harmonia, com um só coração e uma só mente, sob a direção do Maestro, Jesus.

Sharon, líder de um grupo de *Moms in Touch* (Mães em Contato), ficou "fortemente impressionada" com o fato de o Espírito ter usado um texto das Escrituras que tratava de cura enquanto ela intercedia pelos filhos de outras mães desse grupo. "Lembro-me de ter ficado intrigada, pois não entendia como isso poderia ser tão importante", recorda Sharon. "Até onde eu sabia, todas as crianças pelas quais orávamos eram sadias. No entanto, segui a orientação do Espírito. Quando estávamos orando por uma das crianças, a mãe começou a chorar. Mais tarde, ela confidenciou que seu filho havia nascido com algumas deficiências físicas e de aprendizado, e que o texto que eu havia orado era exatamente o que Senhor lhe havia dado quando ele nasceu. Era como se Deus estivesse confirmando aquela promessa para ela. Quando oramos juntas, em concordância e continuamente, o Espírito confirma nossas orações. Esse é o tipo de encorajamento que o mundo não pode dar".

> **Orar unanimemente não significa apenas concordar com a opinião ou o ponto de vista dos outros, mas concordar unanimemente a respeito da vontade de Deus — do que Ele quer para nós.**

Se quisermos orar sob a direção do Espírito, precisamos nos certificar de que todos os nossos pecados conscientes foram confessados. É por esta razão que o segundo dos quatro passos da oração transformadora é a confissão. A concordância é fundamental para a oração poderosa. Dessa forma, o Espírito pode falar aos nossos corações e ao coração de Deus. Orar unanimemente não significa apenas concordar com a opinião ou o ponto de vista dos outros, mas concordar unanimemente a respeito da vontade de Deus — do que Ele quer para nós.

Orando com simplicidade

Orar unanimemente é certificar-se de que as orações sejam breves, sinceras e objetivas. Você já foi a uma reunião de oração em que uma pessoa ora pelos mais variados assuntos, emendando uma oração na outra, sem dar chance para ninguém mais orar? Orações longas fazem com que as pessoas deixem de prestar atenção ao que está sendo colocado, e com isso a unidade é perdida e os pensamentos ficam vagando. Além disso, se apenas uma pessoa ora, o grupo perde a percepção de outros motivos de oração que o Espírito Santo concede aos membros do grupo.

Manter as orações breves — uma ou duas frases de cada vez — faz com que cada pessoa presente se sinta mais à vontade para orar com o grupo. Minha sugestão é que as orações sejam simples e breves.

Orando especificamente

Orar unanimemente é orar segundo as Escrituras e de forma específica. A oração específica nos ajuda a selecionar junto ao Senhor os assuntos pelos quais devemos pedir. As orações específicas nos lembram da magnífica admoestação de Tiago: "Nada tendes, porque não pedis"

(Tg 4.2). Devemos compartilhar com o Senhor nossas necessidades e desejos de forma honesta e sincera, mas sempre esperando que seja feita a vontade de Deus, e não a nossa.

Paulo é um excelente mestre para nos ensinar a orar especificamente. Em Romanos 15.30,31 Paulo pede aos irmãos que orem em favor dele "para que eu esteja livre dos descrentes da Judéia". Aos crentes de Colossos, ele pede que orem "para que Deus nos abra uma porta à palavra" e para que Ele o instrua a proclamar com clareza (Cl 4.3,4). Em 1 Tessalonicenses 3.10,11, ele pede à igreja que ore para que Deus abra o caminho para ele ir visitá-los. Logo depois ele ora pelos membros da igreja, para que Deus os "faça dignos de sua vocação, e cumpra com poder todo desejo de bondade e toda obra de fé" (2 Ts 1.11), e também que os fortaleça e os guarde do Maligno (2 Ts 3.3).

Quando oramos de acordo com as Escrituras nossa oração é poderosa, pois estamos intercedendo em favor de alguém com as mesmas palavras usadas pelo Senhor. O grupo pode usar um versículo ou uma passagem das Escrituras e orar aquele texto, pedindo que o Senhor intervenha conforme a sua Palavra. A primeira pessoa a orar pode dizer: "Pai celestial, oro as palavras de Filipenses 2.15 em favor de minha filha, para que ela seja irrepreensível e sincera, uma filha de Deus imaculada no meio de uma geração corrupta e perversa, entre a qual ela resplandecerá como luminar no mundo, e que o Senhor a ajude a reter a palavra de vida".

A segunda oração pode ser assim: "Ó Senhor, concordo com o que está sendo pedido em oração e peço-lhe que impeça Sara de fazer qualquer coisa que prejudique sua reputação como cristã".

E a terceira: "Sim, meu Deus, peço que o Senhor a mantenha perto do Senhor e a proteja dessa geração perversa e corrupta".

Então a segunda pessoa pode orar novamente dizendo: "Sim, Pai, peço que o Senhor lhe dê coragem para resplandecer por Jesus onde quer que ela esteja. Que ela não se envergonhe nunca de proclamar as verdades contidas na tua Palavra".

Orando conforme a direção do Espírito

A oração unânime é dirigida pelo Espírito. O Espírito Santo, que habita em nós, move nossos corações, introduz nossos pedidos e nos instrui sobre como devemos orar. Devemos ter em vista que o foco é Deus, oramos para o Senhor, e não para obter a aprovação dos outros. Isso nos dá liberdade para orar conforme a orientação do Espírito Santo, eliminando o temor natural de orar em público. Cada pessoa pode orar quantas vezes quiser, sem restrições, unindo-se à conversa conforme o Espírito Santo colocar em seu coração.

Uma mãe confessou: "Muitas vezes gaguejei ao orar e minhas palavras não faziam muito sentido, mas compreendi que Deus aceitava o que eu estava lhe oferecendo e, gradualmente, aprendi a apoiar-me na direção do Espírito Santo e a manter o foco em Deus, não nos que estavam à minha volta".

A oração unânime é uma forma de oração que irá fortalecer e estimular seu grupo de oração. A oração unânime em grupo deve ser feita em voz alta; orar um assunto de cada vez; orar de comum acordo; manter orações breves, sinceras e objetivas; orar conforme as Escrituras e de forma específica; e orar conforme a orientação do Espírito.

A rede de força

Devemos lembrar que precisamos nos proteger contra possíveis divisões no grupo — qualquer coisa capaz de se infiltrar no grupo de oração e provocar desunião. Deus quer que sejamos unidas, conforme as Escrituras nos ensinam. "Ora, o Deus de constância e de consolação vos dê o mesmo sentimento uns para com os outros, segundo Cristo Jesus. *Para que unânimes, e a uma boca, glorifiqueis ao Deus e Pai de nosso Senhor Jesus Cristo*" (Rm 15.5,6; ênfase da autora). Satanás não quer que sejamos unidas, pois sabe que essa é a maneira pela qual ele é derrotado. A união produz força.

A oração unânime cria uma rede de força. Tornamo-nos como sequóias gigantes e frondosas — fortes, imponentes e belas em sua grandiosidade. Poderíamos supor que essas árvores possuem raízes profundas para sustentar tamanha altura; mas, na verdade, suas raízes são superficiais. Estas árvores grandiosas são unidas através de suas raízes entrelaçadas, que formam uma rede de força. Assim como as sequóias, os cristãos precisam se unir uns aos outros para formar uma rede de apoio e ajuda, por meio da oração unânime. Quando nos unimos em oração e carregamos os fardos uns dos outros, percebemos novas dimensões do poder de Deus.

Vamos orar

Encontrando um parceiro do coração

Em qual área de sua vida você sente que precisa de apoio para orar? Um de seus filhos trabalha como policial? Você está preocupada por seus filhos freqüentarem uma escola pública? Você gostaria que seu marido crescesse na fé e tivesse um relacionamento mais próximo com você? Você se sente sobrecarregada ao orar pelos pastores de sua igreja? Pelos meios de comunicação? Pela liderança política de seu país? Você precisa de ajuda para crescer espiritualmente ou para superar algumas dificuldades pessoais, como perder peso ou exercitar-se regularmente?

Peça a Deus para trazer a sua mente outra(s) pessoa(s) que carrega(m) o mesmo fardo que você.

Compartilhe com ela seus sentimentos em relação a esse fardo e pergunte se ela gostaria de orar com você. A seguir firmem um compromisso de se encontrarem semanalmente, em um horário específico. Sugiro que utilizem os quatro passos da oração e o modelo de oração unânime exposto neste capítulo. Lembre-se: vocês devem orar, e não conversar, sobre os problemas. Empenhe-se em manter esse encontro semanal, mas se a distância for um problema, vocês podem orar pelo telefone. Quando compartilhamos nossos fardos através da oração eles se tornam mais leves. Encontre alguém para orar com você, e espere para ver o resultado.

Pai, ajuda-me a encontrar uma parceira ou um grupo de oração com quem eu possa compartilhar meu fardo e que queira orar com outros. Faça com que nossos caminhos se encontrem e que nossos corações tenham o mesmo sentimento. Coloque em cada uma de nós o desejo e a determinação de orar sobre o problema. Obrigada por prover nossas necessidades. Em nome de Jesus, amém.

Compartilhando o fardo

Orar unanimemente pelos problemas dos outros também cumpre a ordem expressa de Gálatas 6.2: "Levai as cargas uns dos outros, e assim cumprireis a lei de Cristo", e Filipenses 2.4: "Não olhe cada um somente para o que é seu, mas cada qual também para o que é dos outros". Você está deprimida por alguma tristeza ou por um fardo muito pesado? Se alguém orar junto com você, isso lhe dará força e poder. Quando nos unimos em oração somos encorajadas e estimuladas, e nossos corações e nossas mentes são confortadas.

"Melhor é serem dois do que um, porque têm melhor paga do seu trabalho. Pois se caírem, um levantará o seu companheiro; mas ai do que estiver só, pois, caindo, não haverá outro que o levante. [...] E, se alguém quiser prevalecer contra um, os dois lhe resistirão; e o cordão de três dobras não se quebra tão depressa" (Ec 4.9,10,12).

Virginia relata o que aconteceu quando seu grupo de mães começou a orar junto. "Há sete anos, comecei um grupo de *Moms in touch* (*Mães em contato*) em uma escola localizada numa região perigosa e problemática. Oito mães participavam do grupo, e, quando nos reuníamos, parecia que nossos problemas eram difíceis demais para colocarmos em oração. Nossa escola tinha um mil e quinhentos alunos, e constantemente era citada nos noticiários, geralmente por motivos ruins."

"Deus, porém, atraiu o coração dos alunos para Jesus. Um ministério dirigido por jovens dinâmicos da região começou um trabalho de evangelização na escola e muitos alunos que não iam à igreja descobriram o amor de Jesus e cresceram na fé."

"Dois jovens, filhos de duas mães do nosso grupo de oração, desempenharam um papel fundamental, formando grupos de oração liderados pelos alunos, os quais se reuniam uma vez por semana, antes das aulas. Muitos alunos que aceitaram a Cristo ocupavam posições de liderança na equipe de atletismo e entre seus colegas. O testemunho deles foi tão marcante, que no ano passado, uma garota recém-chegada na escola disse à sua mãe que os rapazes mais populares da escola eram cristãos."

Esse grupo de mães colocou diante de Deus alguns pedidos "insuperáveis" de oração, de forma unânime e, então puderam observar a mudança que ocorreu no clima espiritual daquela escola.

Algumas vezes, os grupos de oração ajudam a unir as diferentes igrejas da comunidade. Vreni testemunhou exatamente isso em seu grupo de *Moms in touch international* (*Mães em contato internacional*) que se reunia em um pequeno vilarejo na Suíça. Durante um encontro dos grupos de oração os maridos demonstraram interesse em participar. Quando perguntaram a eles a razão, eles disseram que queriam conhecer melhor esse ministério que reunia mulheres de diferentes igrejas. Eles estavam admirados porque as igrejas locais não colaboravam entre si nem simpatizavam umas com as outras.

Como podemos constatar pelo testemunho de todas essas mulheres, a oração unânime é muito mais do que várias pessoas reunidas para levar seus pedidos a Deus. Através da oração unânime:

os fardos se tornam mais leves;
somos fortalecidas na fé pelas respostas às nossas orações;
as mães se sentem apoiadas em seu ministério de oração, pois sabem que não estão sozinhas;
temos segurança para desabafar nossos temores;
as amizades se aprofundam;
sentimos amor pelos filhos de outras mães;
somos responsáveis pela vida de oração de cada pessoa do grupo;
sentimos maior preocupação pelas almas perdidas;
nossa esperança se renova quando estamos desanimadas;
aprendemos a ouvir os outros e o Espírito Santo;
sentimos paz e esperamos confiantes pela resposta do Senhor;
nos unimos no corpo de Cristo;
aprendemos a orar.

Ó Pai, às vezes noto que algumas barreiras me impedem de orar em grupo, fazendo-me esquecer dos benefícios que me esperam. Ajude-me a superar meus temores, minhas ansiedades e minhas desculpas para não orar. Que eu possa lembrar que meu fardo se torna mais leve quando outras pessoas me ajudam a carregá-lo. Coloca-me junto a outras pessoas, para que eu possa experimentar o poder da oração em união. Em nome de Jesus, amém.

10
Preparando-se para a luta: Batalha de oração

ALGUNS ANOS ATRÁS, EM UM DIA QUENTE de verão na Califórnia, uma garotinha resolveu brincar nas águas refrescantes do mar. Ela foi correndo da frente da sua casa, que dava para o mar, até a água, deixando pelo caminho as sandálias e a toalha. Mergulhou na água e voltou à tona, procurando um lugar onde a água estivesse mais fresca.

A mãe observava a filha da janela da casa quando viu a barbatana de um tubarão que se aproximava. Desesperada, a mãe correu em direção à praia, gritando o mais alto que podia e nadando em direção à filha. Ao escutar a voz da mãe a menina deu meia volta e começou a nadar em direção à praia.

Mas era tarde demais. Assim que a mãe alcançou a menina, o tubarão a atacou. A mãe segurou a garota pelos braços enquanto o tubarão agarrava as pernas. Começaram uma terrível batalha, um verdadeiro cabo de guerra em que a mãe puxava de um lado, e o tubarão, do outro. O tubarão, que tinha cerca de um metro e oitenta centímetros de comprimento, era muito mais forte do que a mãe, mas a mãe era muito mais obstinada a não deixar a filha escapar de suas mãos. Um pescador, que estava em um barco ali perto, escutou os gritos da mãe, puxou um rifle e atirou no tubarão.

Surpreendentemente, após passar algumas semanas no hospital, a garota sobreviveu. Suas pernas tinham cortes profundos que chegavam até o osso, e seus braços exibiam as marcas onde sua mãe havia enterrado as unhas para impedir que a filha amada fosse levada.

Um repórter de televisão, que entrevistou a menina após o trauma, perguntou se ela se importava de mostrar suas cicatrizes. A menina levantou o lençol deixando ver os cortes nas pernas. A seguir ela disse: "Mas olhe meus braços. Tenho cicatrizes nos meus braços também. Elas estão aí porque minha mãe não deixou que o tubarão me levasse".

Assim como essa mãe lutou com o tubarão para salvar sua filha, nós também estamos enfrentando uma luta, mas uma luta espiritual, um cabo de guerra com o inimigo, por nossos filhos. Como minha irmã, Gayle, costuma dizer: "Nossos filhos têm belas cicatrizes porque nós os agarramos através de nossas orações para que eles tenham uma vida abençoada".

Lutando de joelhos

Uma guerra está sendo travada para conquistar o coração e a mente de nossos filhos. Não podemos nos sentar passivamente e permitir que Satanás, chamado de ladrão em João 10.10, roube, mate e destrua nossos queridos. Devemos reagir através de orações de guerra. Para enfrentar essa batalha por nossos filhos, devemos lutar de joelhos. Como 1 Pedro 5.8 nos alerta: "Sede sóbrios, vigiai. O vosso adversário, o Diabo, anda em derredor, rugindo como leão, e procurando a quem possa tragar".

> Para enfrentar essa batalha por nossos filhos, devemos lutar de joelhos.

Uma mãe estava fortemente empenhada a não deixar que Satanás levasse seu filho. Ela contou-me como enfrentou uma batalha de oração por Ben. Ele havia aceitado a Jesus quando ainda era criança, mas na adolescência começou a beber, a usar drogas e a viver perigosamente. Essa mãe clamou ao Senhor inúmeras vezes: "Pai, o Senhor prometeu nos livrar do Maligno". Em seguida, ela dizia: "Satanás, você não tem poder sobre o meu filho. Ele pertence a Jesus. Ordeno, em nome de Jesus e pelo poder do sangue de Cristo, que você desista de tentar controlar a vida de Ben. Deixe-o ir! Você foi derrotado na cruz. Jesus é o vencedor e Ele já o venceu, inclusive no que diz respeito à vida de meu filho".

O que achei mais instigante nessa história é o fato de que ao orar pelo seu filho, ela deixava claro que não queria que ele fosse um fraco na fé, indiferente, sem convicção — um crente apenas de domingo. Ela queria que Ben se tornasse um fervoroso servo de Deus. E o Senhor atendeu à sua oração — oito anos mais tarde. Hoje, Ben lidera um grupo de estudos bíblicos e participa de uma equipe missionária, pregando e compartilhando sua fé. Através do testemunho de Ben muitos estão conhecendo o Senhor e tornando-se seus discípulos.

No entanto, a batalha por almas é intensa e real. Dois reinos estão envolvidos: o reino das trevas, governado por Satanás, e o reino da luz, governado por Jesus Cristo. Todos nós fazemos parte de um reino ou de outro. Não podemos ser cidadãos de ambos. Quando uma pessoa aceita Cristo como Senhor e Salvador, ela é imediatamente transferida do reino de Satanás para o reino de Deus. "[O Pai] nos tirou do poder das trevas, e nos transportou para o reino do seu Filho amado" (Cl 1.13).

A guerra não acaba depois que nossos filhos entregam sua vida a Jesus. Satanás não quer que eles vivam de acordo com a vontade de Deus; portanto, precisamos continuar lutando por eles, como Candy fez por sua filha adolescente Tiffanie.

"Depois que aceitei Jesus, tive que enfrentar as conseqüências de minhas escolhas erradas", Tiffanie contou. "Eu havia parado de freqüentar a escola porque estava confusa e deprimida. Quando decidi retomar os estudos e recuperar o tempo perdido, fui esmagada pelo volume de tarefas a cumprir. Lembro-me de certo dia na escola em que fiquei muito desanimada por não conseguir acompanhar a classe e, em lágrimas, pensei em desistir. Fui ao banheiro e tirei do bolso um cartão que minha mãe havia me dado. Nele estava escrito uma oração que minha mãe havia feito por mim: 'Que Tiffanie tenha bom ânimo e faça a tua obra; que ela não tema nem fique desanimada pelo tamanho da sua tarefa, pois o Senhor Deus é com ela; e Ele não a deixará, nem a desamparará, até que seja acabada toda a obra' (1 Cr 28.20). Deus usou essa oração para me dar forças para continuar."

O vencedor é...

Apesar de nossas orações, às vezes temos a impressão que Satanás está vencendo a batalha. Na celebração do décimo aniversário da *Moms in touch* (*Mães em contato*), Evelyn Christenson contou uma história interessante que retrata bem como irá terminar essa guerra.

Na época em que a Índia era uma colônia inglesa, no começo do século dezenove, o governador administrativo era um homem conhecido como Sr. Das. Ele costumava viajar por todo o país a trabalho. Como não existiam hotéis nas áreas mais remotas, o governo britânico dispunha de pequenas casas situadas estrategicamente para alojar seus funcionários.

Certa ocasião, o Sr. Das e seus funcionários estavam atravessando uma floresta ao sul de Calcutá. Como a noite se aproximava, ele mandou alguns de seus homens na frente para preparar a casa mais próxima ao local para a chegada deles. Quando eles se aproximavam da casa, um dos funcionários saiu correndo de dentro dela, branco como papel e dizendo coisas incoerentes. Ele havia encontrado uma jibóia de cerca de seis metros, enrolada em uma peça da mobília.

Esse tipo de cobra pode engolir um veado, um porco ou até mesmo um ser humano inteiro. É uma cobra poderosa e mortal.

O Sr. Das e seus funcionários fecharam todas as janelas e portas, trancaram a jibóia dentro da casa e levaram pra fora a caixa de munição. Ele sabiam que um tiro seria suficiente para matar uma cobra daquele tamanho, desde que o atirador acertasse a cabeça.

O Sr. Das apontou a arma cuidadosamente e atirou exatamente na cabeça da jibóia, mas para surpresa de todos ela não morreu. Ao contrário, começou a se contorcer violentamente, derrubando todos os objetos da casa e destruindo os móveis. Ela praticamente demoliu todo o interior da casa. Os funcionários observavam petrificados, imaginando o que aconteceria se aquela jibóia enlouquecida conseguisse escapar. Porém, cerca de uma hora e meia depois, a cobra morreu.

O Sr. Das, que era também um grande pregador, costumava contar a história da jibóia aplicando-a da seguinte maneira:

> "Queridos irmãos, estamos vivendo exatamente nesse período de uma hora e meia. Satanás trouxe o pecado para o planeta Terra, tentou Adão e Eva e eles caíram. Mas o Senhor Deus disse a Satanás, aquela velha serpente: 'Porei inimizade entre ti e a mulher, e entre a tua descendência e a sua descendência; esta [Jesus] te ferirá a cabeça, e tu lhe ferirás o calcanhar' (Gn 3.15). Deus tinha uma bala poderosa o suficiente para matar a serpente, Satanás. Através da morte de seu Filho Jesus, pendurado na cruz, Deus, o Pai, apontou cuidadosamente, atirou e acertou bem na cabeça de Satanás".

Satanás recebeu o golpe fatal na cruz, mas por razões que não compreendemos, Deus permitiu que ele tivesse, por assim dizer, uma 'hora e meia' extra. Satanás está enlouquecido por causa do tiro que acertou sua cabeça. Ele está derrubando e destruindo tudo que está ao seu alcance, tentando pegar cada um de nós.

Estamos em meio à batalha, que a cada dia fica mais acirrada, mas não devemos nos esquecer que o golpe fatal já foi desferido. Às vezes, pode até parecer que Satanás está vencendo, mas não está. Ele já foi derrotado e será lançado no lago de fogo para todo o sempre, e então Jesus será reconhecido como Rei dos reis e Senhor dos senhores".

O plano de batalha do inimigo

Como estamos vivendo essa "hora e meia", precisamos conhecer as táticas usadas pelo nosso inimigo. A Bíblia diz que Satanás é nosso acusador (Ap 12.10); homicida e mentiroso (Jo 8.44); enganador (Ap 20.10) e ladrão (Jo 10.10).

Eu não mencionei tudo que a Bíblia diz sobre Satanás, mas se conhecermos bem essas características poderemos ficar "sempre de prontidão" para não sermos pegas de surpresa ou em uma armadilha. Isso também nos ajuda a preparar um contra-ataque. Essa batalha não é no reino físico, mas no reino espiritual. "Porque, embora andando na carne, não militamos segundo a carne, pois as armas da nossa milícia não são carnais, mas poderosas em Deus, para demolição de fortalezas" (2 Co 10.3,4).

O primeiro golpe de nosso ataque é orar em nome de Jesus. Temos todo o poder e autoridade para resistir a Satanás através do nome de Jesus (Mt 28.19,20). Tiago 4.7 nos instrui: "*Sujeitai-vos,* pois, a Deus; mas *resisti* ao Diabo, e ele fugirá de vós" (ênfase da autora). Quando nos sujeitamos a Deus, olhamos para cima, em busca do poderoso e soberano Criador dos céus e da terra, e então resistimos a Satanás ordenando-o a sair e a "cair fora" de nossas vidas. Através do poder do Espírito Santo, nós somos capazes de enfrentar, revidar, deter, confundir e frustrar os ataques de Satanás, orando em nome de Jesus.

A maioria de nós aprendeu a concluir as orações da seguinte forma: "Em nome de Jesus, amém". Mas você alguma vez já parou para pensar por que fomos instruídas a orar dessa forma?

Concluímos nossas orações com essa frase porque Jesus nos ensinou assim. O texto de João 14.13,14 afirma: "E *tudo* quanto pedirdes [a Deus] em meu nome, eu o farei, para que o Pai seja glorificado no Filho. Se me pedirdes *alguma coisa* em meu nome, eu a farei" (ênfase da autora). Não posso obter nada de meu Pai por mim mesma, pois meu nome não tem valor nem está investido de autoridade.

Quando vou assistir aos jogos do time de basquete que meu marido treina, digo ao bilheteiro que sou a esposa do técnico, e sabe o que acontece? Entro sem pagar. Não porque meu nome é "Fern", mas porque pertenço ao técnico e uso o nome dele. Quando nos apresentamos diante do nosso Pai celeste, o nome de Jesus é a nossa referência. Jesus é a confirmação divina, o "amém" soberano, quando oramos conforme a sua vontade. Seu nome nos dá esperança, confiança, realiza milagres, arrebenta as amarras, liberta os cativos e cura os corações feridos. Toda autoridade no céu e na terra está sujeita ao seu nome (Mt 28.18).

A segunda parte de nossa estratégia é permanecer firme em oração. Efésios 6.10 nos adverte a fazer o seguinte: "Fortalecei-vos no Senhor e na força do seu poder". Como? "Revesti-vos de toda a armadura de Deus, para poderdes permanecer firmes contra as ciladas do Diabo; [...] para que [e não *se*] possais resistir no dia mau e, havendo feito tudo, permanecer firmes" (Ef 6.11,13).

O pastor Tim Sheets oferece uma maravilhosa descrição de como podemos permanecer firmes apesar das investidas de Satanás contra nós.

> Tim Hester, pastor em Arlington, Texas, conta a história de um velho fazendeiro que precisava cavar um poço. Um poço cavado, pelo que eu entendo, é um pouco maior do que o normal, pois foi cavado com as próprias mãos, com o auxílio de pás e picaretas. Esse fazendeiro tinha uma mula de estimação, que era seu orgulho e sua alegria. Certo dia, a mula caiu no poço. O velho fazendeiro tentou tirá-la de lá de todas as maneiras possíveis. Ele tentou passar cordas em volta do animal para puxá-lo, mas a velha mula estava muito assustada e não permitia que as cordas ou qualquer outra coisa tocassem nela. Por fim, depois de várias horas e muitas tentativas, o velho fazendeiro desistiu de recuperar sua preciosa mula e resolveu enterrá-la ali mesmo. Ele e alguns homens que o estavam ajudando, pegaram algumas pás e começaram a jogar

terra dentro do poço onde estava a mula. Entretanto, a velha mula, em vez de permitir que a terra a soterrasse, sacudia a terra e pisoteava sobre ela. Conforme eles jogavam terra, ela ia amassando-a com as patas. Por fim, a terra acumulada ficou tão alta que a mula simplesmente saiu andando do poço.[1]

Tim, a seguir, faz a seguinte aplicação:

> Quando cairmos em algum poço de Satanás, se ele tentar nos enterrar devemos ter a mesma atitude daquela velha mula. Quando Satanás atirar sujeira sobre você, sacuda-a e permaneça de pé. À medida que ele continuar a jogar mais sujeira ou terra, amasse-a com os pés e continue firme. Devemos fazer com que suas pedras de tropeço se transformem numa escada que nos permita sair dali. Por fim, tendo tomado a decisão de permanecer firme, você poderá sair do poço, vitorioso.[2]

Satanás tentou jogar sujeira em uma determinada escola, mas um grupo de mulheres permaneceu firme em oração. Leia a seguir o relato de uma das mães participantes desse grupo de oração: "Nossa escola estava se preparando para celebrar a formatura da turma do último ano. Como nos anos anteriores, as mães de nosso grupo de oração estavam orando para que nossas crianças estivessem em segurança e para que os alunos do último ano fizessem escolhas sábias. Nosso grupo orava por aquela escola há anos, e achávamos que a situação estava protegida por nossas orações".

"Porém, uma notícia abalou nossa confiança. Fomos informadas de que novas drogas estavam sendo distribuídas e consumidas por grande parte dos alunos da escola — e não apenas por aqueles que faziam parte do "grupo de risco". Atletas, líderes estudantis, líderes de torcida e até mesmo cristãos devotados estavam sendo aliciados."

"Isso nos fez pensar: 'Será que temos orado o suficiente por nossos filhos? Será que deixamos de lado a ordem de Cristo para permanecermos vigilantes, pois assim não seríamos surpreendidas dormindo? Abaladas, mas com renovado vigor, buscamos a Deus e o louvamos por Ele ser nossa rocha e nossa fortaleza. À medida que orávamos, começamos a ver Deus não apenas como uma fortaleza para nos proteger, mas como um arsenal para nos dar coragem e força para enfrentar a batalha que estava diante de nós."

As mulheres permaneceram firmes em oração por várias semanas, pedindo que os alunos fossem libertos da escravidão das drogas, que os funcionários e a direção da escola tivessem a mesma coragem de Davi ao enfrentar o "gigante", que outras mães se engajassem na batalha e não se deixassem abater, que todos os pais se convencessem da necessidade de pedir a proteção de Deus para suas famílias, e que os líderes da nação tivessem a sabedoria e a coragem de criar leis para solucionar o problema.

Um ano depois de terem entrado nessa batalha, as mães viram um bom número de alunos se inscreverem no programa de recuperação de drogados, enquanto que outros começaram a trabalhar na preparação de um vídeo para expor os perigos das drogas. Os professores e funcionários da escola se tornaram eficientes porta-vozes, alertando sobre os perigos das drogas e a Associação de Pais, Mestres e Alunos da escola patrocinou um evento antidrogas que reuniu cerca de duzentos e cinqüenta pais, assim como o prefeito, os vereadores e os policiais da região.

"O melhor de tudo", disse uma mãe, "foi que três mil e trezentos alunos da nossa escola ouviram uma pessoa reconhecida em todo o país desafiá-los a se tornarem a geração que mudaria a situação atual. Ao término do evento, ele conversou pessoalmente com um grupo de alunos, e trinta e oito deles aceitaram a Cristo. Muitas vezes, nos sentimos angustiadas e preocupadas em relação aos perigos que nossos filhos têm de enfrentar, mas podemos descansar na certeza de que Deus é soberano sobre todas as coisas."

O que significa "permanecer firme" em oração? Como podemos transformar as pedras de tropeço de Satanás em uma escada para nos tirar do fundo do poço?

Além de orar em nome de Jesus e permanecer firme, *a terceira parte de nossa estratégia é reconhecer que a batalha é espiritual, não física*. As mães daquela escola devastada pelas drogas não estavam lutando contra "carne e sangue", "mas contra os principados, contra as potestades, contra os príncipes do mundo destas trevas, contra as hostes espirituais da iniqüidade nas regiões celestes" (Ef 6.12). Não estamos lutando contra nossos maridos, nossos filhos, nossa situação ou nossas escolas — isso tudo é "carne e sangue", aquilo que é visível —, mas contra as forças do mal, que estão por detrás das pessoas ou das circunstâncias. Quando você for orar, procure visualizar os aspectos espirituais da batalha, em vez de focalizar as pessoas ou as situações que *parecem* ser o problema. Dessa maneira, suas orações se concentrarão sobre as forças do mal que impedem o progresso espiritual.

Nós não podemos ver o inimigo nem o que está acontecendo no reino espiritual, no entanto, nossas orações provocam agitação espiritual. Assim que oramos, Deus começa a agir. O texto de Hebreus 1.14 afirma que anjos ministradores são comissionados a nosso favor: "Não são todos eles espíritos ministradores, enviados para servir a favor dos que hão de herdar a salvação?". Em Daniel 10, somos informados que a resposta à oração de Daniel foi retardada porque o anjo teve que enfrentar uma batalha, e só pôde trazer a resposta vinte e um dias depois.

> Não estamos lutando contra nossos maridos, nossos filhos, nossa situação ou nossas escolas — isso tudo é "carne e sangue", aquilo que é visível —, mas contra as forças do mal que estão por detrás das pessoas ou das circunstâncias.

Não sei dizer o que acontece no plano espiritual quando pedimos ao Senhor para intervir na situação, mas as Escrituras declaram que nossos pedidos abalam terras e céus. Deus revelou ao discípulo João uma bela imagem do que acontece com as orações dos santos.

> ***Veio outro anjo, e pôs-se junto ao altar, tendo um incensário de ouro; e foi-lhe dado muito incenso, para que o oferecesse com as orações de todos os santos sobre o***

***altar de ouro que está diante do trono. E da mão do anjo subiu diante de Deus a fumaça do incenso com as orações dos santos. Depois o anjo tomou o incensário, encheu-o do fogo do altar e o lançou sobre a terra; e houve trovões, vozes, relâmpagos e terremoto* (Ap 8.3-5).**

Essa descrição é semelhante à descrição feita por Davi no Salmo 18.

> *Na minha angústia invoquei o Senhor, sim, clamei ao meu Deus; do seu templo ouviu ele a minha voz; o clamor que eu lhe fiz chegou aos seus ouvidos. Então a terra se abalou e tremeu, e os fundamentos dos montes também se moveram e se abalaram, porquanto ele se indignou. [...] Ele abaixou os céus e desceu; trevas espessas havia debaixo de seus pés. [...] Do alto estendeu o braço e me tomou; tirou-me das muitas águas. Livrou-me do meu inimigo forte e daqueles que me odiavam; pois eram mais poderosos do que eu* (v. 6,7,9,16,17).

Nunca duvide da resposta poderosa de Deus às orações. Mesmo que você tenha a impressão que nada está acontecendo no reino físico, esteja certo de que algo acontece no reino espiritual quando você enfrenta o inimigo. As coisas são abaladas!

A quarta parte de nossa estratégia de oração é ter fé, mesmo quando não podemos ver as respostas às nossas orações. Fico muito contente por Deus ter colocado a história de Eliseu e seu servo na Bíblia, pois ela nos garante que a atividade está andamento no mundo invisível. O exército arameu foi enviado para capturar o profeta Eliseu, e seu servo temia pelo que poderia acontecer a seu mestre. Quando o servo saiu do local onde dormiam para ver se o exército estava vindo, o que ele viu deve ter feito seu coração palpitar ainda mais. Soldados poderosos, cavalos fortes e carros reluzentes cercavam a cidade. Contudo, Eliseu viu algo diferente, e disse ao seu servo: "Não temas; porque os que estão conosco são mais do que os que estão com eles" (2 Rs 6.16). A seguir, Eliseu orou com fé e intercedeu por seu servo: "Ó Senhor, peço-te que lhe abras os olhos, para que veja" (v. 17).

Deus abriu os olhos do servo, e ele viu que os montes ao redor da cidade estavam cheios de cavalos e carros de fogo, protegendo a ele e a Eliseu. Posso imaginar a expressão de espanto no rosto desse servo (v. 6.12-23).

Que maravilhoso lembrete para você e para mim: "Fixe seus olhos não no que você vê, mas no que é invisível. Pois o que você vê é temporário, mas o que é invisível é eterno". Não é esse tipo de "visão" que você deseja para os filhos de Deus? A visão de alguém que tem muita fé? Então, quando você abrir os olhos como o servo de Eliseu, (e enxergar além da pessoa ou situação pela qual está orando), verá com os olhos da fé.

Nossa quinta estratégia é tomar toda a armadura de Deus. Você está bem equipada? Preparada para a batalha? Paulo nos diz o seguinte: "Portanto tomai toda a armadura de Deus, para que possais resistir no dia mau e, havendo feito tudo, permanecer firmes" (Ef 6.13).

Quando meu filho, Travis, jogava futebol americano na escola, nunca vi nem ele nem seus colegas de time entrarem no campo sem os protetores. Tenho certeza que eles nunca diziam: "Sabe, é trabalhoso demais colocar todo esse equipamento. Vamos jogar só de camiseta, calção e tênis".

Assim como nenhuma de nós pensaria em sair de casa sem estar adequadamente vestida ou usando apenas um cinto, também não deveríamos pensar em enfrentar uma batalha espiritual sem vestirmos a armadura que Deus preparou para nós.

Porém, o pastor Charles Stanley nos adverte que tomar conhecimento da armadura não é suficiente. Memorizar as partes da armadura irá ajudá-la a "vestir" cada peça logo no início do dia.[3] A armadura de Deus é uma provisão total e completa para enfrentarmos a batalha espiritual de forma eficaz.

Você está disposta a gastar alguns minutos diariamente para orar a respeito dessa armadura? Que tal começar agora?

Apresentamos a seguir algumas sugestões de oração:

Para começar

Pai celeste, obrigada, pois sei que o Senhor deseja que eu me fortaleça no Senhor e na força do seu poder. Alegro-me por poder vestir, pela fé, a armadura que o Senhor preparou para me proteger das armadilhas e táticas de Satanás. Pois minha luta não é contra "carne e sangue", mas "contra os principados, contra as potestades, contra os príncipes desse mundo, contra as trevas e contra as hostes espirituais da iniqüidade nas regiões celestes".

Agora Senhor, através de teu Filho Jesus, vestirei toda a armadura para que quando chegar o dia mau, eu possa permanecer firme. Peço-lhe por sua graça infinita que me ajude a resistir aos ataques de Satanás.

O cinto da verdade

Estais, pois, firmes, tendo cingidos os vossos lombos com a verdade (Ef. 6.14).

Querido Jesus, vesti o cinto da verdade. Peço-lhe que hoje eu possa agir com integridade em todos os meus caminhos, falando somente a verdade. Não permita que eu fale ou nem mesmo pense qualquer coisa que não seja verdade. Ajuda-me a discernir e a reconhecer as mentiras de Satanás. Que não seja encontrado em mim nenhum engano ou motivo impuro. Oro para que as palavras que falo aos outros sejam verdadeiras e que eu possa demonstrá-las através de minha própria vida. Desejo viver cada momento apenas pela verdade da tua Palavra.

A couraça da justiça

... e vestida a couraça de justiça (Ef 6.14).

Obrigada pela justiça de Cristo que me foi concedida no momento de minha salvação. Graças a este maravilhoso dom da salvação, posso me apresentar diante do Senhor coberta pelo sangue de Jesus, e alegrar-me na verdade de que o Senhor me vê como perfeita. Regozijo-me porque o Senhor não considera culpado ninguém que o ama verdadeiramente. Peço que o Senhor me ajude a agradá-lo em tudo que faço. Oro para que não seja teimosa e arrogante, o que me impediria de confessar meus pecados no momento em que o Espírito Santo revelá-los a mim. Obrigada pela couraça da justiça, que me dá coragem por saber que Satanás tem que recuar diante daqueles que andam retamente.

Evangelho da paz

... e calçados os pés com a preparação do evangelho da paz (Ef. 6.15).

Querido Deus soberano, como é maravilhoso saber que tenho paz com Deus por causa de Jesus. Não existe nada melhor do que a certeza de que nada pode me separar do meu Deus. Essa é uma bênção que não pode ser expressa em palavras. A certeza da vida eterna traz uma doce paz à minha alma. Obrigada porque o Senhor prometeu que me dará a sua paz se eu não ficar ansiosa e levar ao Senhor todas as minhas necessidades. Obrigada pela paz que tenho por saber que Aquele que está em mim — Jesus— é maior do que aquele que está no mundo. Eu me rejubilo porque posso confiar nessas verdades em meio a este mundo conturbado, e colocar Satanás sob meus pés.

O escudo da fé

Tomando, sobretudo, o escudo da fé, com o qual podereis apagar todos os dardos inflamados do Maligno (Ef. 6.16).

Meu Deus fiel, obrigada pela promessa de que o escudo da fé apaga todos os dardos inflamados do inimigo. O Senhor é meu escudo. No calvário, o Senhor recebeu os dardos que eu merecia. Ajuda-me a confiar em ti, somente em ti. Que eu nunca duvide que o Senhor não apenas pode me libertar, mas também me dar vitória contra os ataques do Maligno. Obrigada pelas promessas de que o inimigo não pode impedir os planos do Senhor para minha vida. Pai, ajuda-me a usar o escudo da fé quando as dúvidas e acusações de Satanás quiserem me atingir, para que eu possa derrotá-lo com a verdade da tua Palavra.

O capacete da salvação

Tomai também o capacete da salvação (Ef 6.16).

Querido Senhor e Salvador, eu me alegro na certeza da minha salvação. Agradeço por ter me salvado e por ter me dado a mente de Cristo. Obrigada pelo capacete da salvação, que protege minha mente das acusações e dos assaltos de Satanás. Ajude-me a renovar minha mente com o poder transformador da tua Palavra, para que, quando Satanás se levantar contra mim com suas mentiras, eu esteja preparada. Desejo pensar naquilo que é correto e verdadeiro. Ajuda-me a ter o mesmo pensamento de Jesus, e que eu seja capaz de discernir a tua vontade em todas as coisas. Peço para que o Senhor guarde os meus pensamentos e me afaste das vãs conversações. Que meu pensamento seja cativo à obediência a Cristo, sujeitando minha mente, minha vontade e minhas emoções à autoridade do teu Espírito. Eu exalto teu santo nome por me conceder o capacete da salvação, pois Satanás é derrotado quando tenta investir contra uma mente "salva".

A espada do Espírito

E a espada do espírito, que é a palavra de Deus (Ef 6.17).

Querido e misericordioso Pai, agradeço porque tua Palavra é fiel e nunca falha. Que tua Palavra possa habitar em mim ricamente. Que ela seja mais doce do que o mel em minha boca. Peço que o Espírito Santo me conceda um amor insaciável por tua Palavra. Senhor, peço-lhe que afaste todas as coisas que me impedem de ler e obedecer à tua Palavra. Ajuda-me a esconder a tua Palavra em meu coração para que eu possa calar a boca de Satanás quando for tentada, usando as palavras que Jesus usou: "Está escrito..." Como tua Palavra é mais afiada do que uma espada de dois gumes, eu sei que obterei grandes vitórias ao usá-la. Louvo ao Senhor porque Satanás não pode resistir à tua Palavra, e é obrigado a recuar. Aleluia!

Não é interessante que a espada do Espírito seja a última peça da armadura mencionada na carta aos Efésios? A razão talvez seja porque esta é a única arma ofensiva da armadura. Esta arma é a Palavra de Deus, viva, poderosa, eficaz e instrutiva. Precisamos usá-la nas batalhas se quisermos ser vitoriosos.

Depois de vestir a armadura, o que Paulo diz que devemos fazer? Orar! "Com toda a oração e súplica orando em todo tempo no Espírito e, para o mesmo fim, vigiando com toda a perseverança e súplica, por todos os santos" (Ef 6.18). A oração não é uma preparação para a batalha, ela *é* a batalha.

Uma mãe aprendeu a orar com fé vestindo a armadura junto com seu grupo de oração. Quando o filho de Kathy estava no penúltimo ano do ensino médio, ele foi acometido por uma depressão que o deixou bastante debilitado. Ele havia sido acusado falsamente de algo que não fizera, tornando-se motivo de piadas e ironias de um professor que o ridicularizava diante de toda a classe. Certa manhã, ele não conseguiu se levantar, e disse à mãe: "Mãe, sinto como se estivesse dentro de um poço muito profundo, sem ninguém para me ajudar a sair dali. Mal posso respirar".

Kathy e o marido buscaram a ajuda de um conselheiro cristão para o filho. O apoio oferecido por esse conselheiro devolveu-lhes a esperança de que o filho seria capaz de superar a depressão. Para ajudá-lo a superar o problema, eles o transferiram para uma outra escola, onde ele teria chance de "começar de novo".

No entanto, Kathy acredita que o que mais contribuiu para a melhora de seu filho foram as orações em favor dele. Uma das mães do seu grupo de oração compartilhou com ela uma passagem das Escrituras que mostrava que Deus lutaria pelo seu filho. "Do alto estendeu o braço e me tomou; tirou-me das muitas águas. Livrou-me do meu inimigo forte e daqueles que me odiavam; pois eram mais poderosos do que eu. Surpreenderam-me eles no dia da minha calamidade, mas o Senhor foi o meu amparo" (Sl 18.16-18).

Kathy mostrou esses versículos para o filho e disse-lhe: "Querido, quando você se sentir deprimido, saiba que Deus está com o braço estendido para livrá-lo de suas aflições".

A batalha ainda não terminou para essa família, mas o filho de Kathy crê no poder da oração e sabe que Deus pode resgatá-lo quando for atacado pelo inimigo. Aos poucos ele está conseguindo sair desse estado depressivo, mas Kathy continua a lutar por ele através de suas orações.

Como Kathy, temos que ter uma estratégia de oração bem planejada para lutar contra as armadilhas de Satanás. Essa estratégia inclui: orar em nome de Jesus, perseverar em oração, reconhecer que a batalha se desenrola no plano espiritual e não no físico, ter fé e vestir toda a armadura — diariamente.

A Bíblia afirma: "Mas o homem nasce para a tribulação, como as faíscas voam para cima" (Jó 5.7). Todas as mães querem o melhor para seus filhos, mas a mãe sábia reveste-se com a armadura de Deus. A armadura do Senhor nos capacita a enfrentar a batalha por nossos filhos sempre que eles estiverem enfrentando dificuldades. Ela também nos protege quando lutamos contra Satanás para impedi-lo de envolver nossos filhos em confusões. A Palavra de Deus é a garantia de nossa vitória. Por fim, o desejo de nossos corações é que possamos lutar o bom combate para merecermos o nome de "guerreiras de oração".

Senhor, ajuda-me a vestir a armadura com esmero, sabendo que esta preparação é necessária para ter um período de oração poderoso e para me apresentar com ousadia diante do Senhor. Que quando eu me sentir cansada da batalha possa descansar no fato de que a vitória é minha por intermédio do Senhor. Que eu saiba que o Senhor não me deu "o espírito de covardia, mas de poder, de amor e de moderação". [...] E permita que eu suporte o sofrimento "como bom soldado de Cristo Jesus" (2 Tm 1.7; 2.3). Em nome de Jesus, amém.

11
Orando por nossas escolas

DENISE, UMA PROFESSORA da segunda série do ensino fundamental de uma escola pública, costumava designar diariamente três alunos para virem à frente e compartilhar algo especial com o resto da classe. Geralmente eles levavam algum objeto e falavam a respeito dele.

Numa segunda-feira, foi a vez de uma menina, Moriah. Ela andou até a frente da classe, radiante, mas surpreendentemente, sem nada nas mãos. Denise perguntou a Moriah se já estava pronta para compartilhar, e a menina respondeu que sim.

Em seguida, Moriah explicou que havia algo especial que ela gostaria de compartilhar com os colegas: Deus. Ela contou então como entregara seu coração a Jesus e como isso fazia com que ela se sentisse especial ao gastar tempo com Ele. Como era bom poder conversar com Deus à noite. Como era bom confiar na promessa de Deus de que ela viveria para sempre no céu e que Ele estava construindo uma casa especialmente para ela.

No final, Moriah disse que gostaria de compartilhar sua canção favorita, que falava de Deus. Com sua voz débil e desafinada, ela cantou: "Nosso Deus Majestoso". Ela mal havia começado, quando, para espanto de Denise, quase toda a classe ficou de pé e cantou junto com ela. Mãos foram levantadas em adoração na sala toda, e até mesmo as crianças que não conheciam a canção levantaram também suas mãos.

Denise comentou: "Quando vi todas aquelas crianças cantando, não pude conter as lágrimas. Elas estavam louvando a Deus em minha sala de aula". Depois de repetir três vezes a canção, as crianças começaram a aplaudir e gritar de alegria.

Moriah e seus colegas estavam declarando através daquela canção que Deus Todo-Poderoso reina com poder, sabedoria e amor. E isso aconteceu em uma escola pública! Enquanto aqueles que amam a Jesus estiverem nas escolas, a luz estará ali também. Louvo a Deus por termos crianças como Moriah em nossas escolas, que amam a Jesus e desejam compartilhá-lo com outras crianças.

Não fique esperando, ore

De fato, as escolas públicas enfrentam grandes problemas, mas Deus não desistiu delas — e nós também não devemos desistir. De acordo com os dados obtidos pelo *National center education* [Centro nacional de educação], em 2001, mais de quarenta e sete milhões de crianças freqüentavam as escolas públicas.[1] Hoje esse número é bem maior. Quem vai orar por essas crianças? As mães vão orar. Você pode influenciar o clima espiritual e moral da escola que seus filhos freqüentam através de suas orações.

O Dr.James Dobson, presidente do ministério *Focus on the family* [Focando a família], afirma: "Quando observamos os problemas que as escolas atuais enfrentam, quando percebemos o aumento da violência, o que as crianças vêem fora da sala de aula, o que aparece nos canais de televisão — um verdadeiro lixo —, não há outra solução nem outra esperança a não ser a oração, e é isso que nos faz cair de joelhos".[2]

Como mães que oram podem mudar as escolas

As orações das mães são como um muro de proteção ao redor de nossas escolas. Identificamo-nos com Neemias e a tristeza que sentiu por saber que os muros estavam em ruínas. Ele, de fato, chorou quando ouviu contar que os muros de Jerusalém estavam destruídos. Por quê? Nos tempos bíblicos, os muros ofereciam força e proteção. Muros fortificados significavam que o inimigo não conseguiria invadir a cidade. Quando Neemias soube que os muros estavam destruídos, ele entendeu que Jerusalém estava à mercê do inimigo — vulnerável, desamparada, humilhada e desacreditada. O resto do mundo observava Israel, e poderia entender que seu Deus era fraco.

Quando olhamos para nossas escolas hoje, percebemos que os muros espirituais foram destruídos. Embora possamos construir prédios maiores e melhores, os muros espirituais continuam em ruínas. O inimigo tem livre acesso em nossas escolas. Será que isso nos faz chorar como Neemias chorou ao ver a destruição?

Glória a Deus, pois, assim como os muros de Jerusalém, os muros de nossas escolas também podem ser reconstruídos por intermédio do poder da oração. Tente imaginar milhares de mães, de diferentes nações, povos e línguas, reunidas lado a lado, de braços dados, formando um muro fortificado com suas orações. Cada uma dessas mães tem um lugar específico neste muro para conter os ataques de Satanás às escolas. Sua participação é imprescindível, pois para que esses muros ofereçam proteção total não pode haver nenhuma brecha, nenhum tijolo faltando.

Deus diz: "E busquei dentre eles um homem que levantasse o muro, e se pusesse na brecha perante mim por esta terra" (Ez 22.30). Que privilégio podermos construir muros e nos colocarmos na brecha em favor de nossas escolas. "Reparadora da brecha e restauradora de veredas" — você não gostaria de ser chamada assim? (Is 58.12).

Mães que oram fortalecem "as mãos para a boa obra [a oração] [...] porque o coração" delas se inclina "a trabalhar" (Ne 2.18; 4.6). Paulo, ao enviar as saudações de seu querido amigo Epafras, diz que a oração é uma luta: "Epafras [...] é que sempre luta por vós nas suas orações, para que permaneçais perfeitos e plenamente seguros em toda a vontade de Deus. Pois dou-lhe testemunho de que tem grande zelo por vós" (Cl 4.12,13).

Da mesma forma que o inimigo se levantou contra Neemias com zombaria e escárnio, afirmando que o muro não poderia ser reconstruído, o inimigo também se levanta contra nós para nos desencorajar dessa grande tarefa. No entanto, se permanecermos firmes em nossa posição no muro, Deus frustrará os planos de Satanás.

Como devemos orar? Como podemos preencher as brechas do muro? Apresentamos a seguir algumas sugestões de oração. Esta é a nossa tarefa, o trabalho para o qual fomos chamadas: orar, simplesmente orar, e poderosamente. Depois de cada oração, acrescentamos alguns exemplos de como Deus respondeu aos pedidos pelos quais as mães haviam orado assim como as mudanças que ocorreram nas escolas. Oro para que essas histórias possam encorajá-la a orar pela escola de seus filhos e confirmar em seu coração que Deus quer usar você como "assentadora de tijolos".

Pai, peço-lhe que os jovens cristãos se unam para proclamar o teu nome.

Pai Santo, guarda-os no teu nome, o qual me deste, para que eles sejam um, assim como nós (Jo 17.11).

Muitas mães se sentem temerosas quando enviam seus filhos para uma escola pública. Terri compartilha conosco como não ficou ansiosa em relação a seu filho: "Meu filho mais velho freqüentou uma escola cristã e depois estudou em casa, mas este ano estamos pensando em mandar nossos filhos para uma escola pública. Temos orado sobre isso, pois tememos que a escola pública possa exercer má influência sobre nossos filhos. Porém, se todos os pais cristãos tirarem seus filhos da escola pública, quem levará luz para aquelas crianças? Acreditamos que nossos filhos é que poderão influenciar as crianças que estão à sua volta, não o contrário".

Deus tem reunido crianças cristãs não somente dentro das escolas. Ele também tem feito com que os alunos do ensino médio e os universitários se reúnam em vários grupos por toda a cidade e em encontros nacionais. No ano de 2000, nas cidades de Los Angeles e Washington D.C., mais de vinte mil crianças assumiram o compromisso de serem "missionárias" em suas escolas, respondendo ao apelo com um sonoro: "Eu irei!".

Várias organizações paraeclesiásticas organizaram uma campanha evangelística numa escola no Estado da Califórnia. O lema da campanha era: "Estamos com Rich". Mais de quatrocentos alunos usaram uma camiseta de cor laranja com essa frase durante a semana inteira. O ponto alto da campanha foi quando um aluno do ensino médio, Rich Thompson, compartilhou seu testemunho no pátio da escola.

Mas, houve oposição por parte de alguns alunos, e uma paródia ironizando a campanha evangelística começou a circular pela Internet. Os criadores da paródia incentivavam os alunos que não estivessem de acordo com o tema da palestra a comparecerem no local e manifestarem sua opinião.

As mães se reuniram para orar, pedindo a Deus para dar coragem a esses mais de quatrocentos alunos para usar a camiseta laranja todos os dias. Também pediram a Deus que Rich fosse capaz de declarar sua posição com humildade, firmeza e de forma clara, e que não houvesse resistência.

Cerca de oitocentos alunos se reuniram no pátio e prestaram atenção às palavras de Rich. Sementes foram plantadas em seus corações e vários receberam a Cristo naquele dia. Todos os cristãos presentes estavam usando fielmente suas camisetas laranja.

Cristãos de outras universidades adotaram a idéia de usar camisetas em suas campanhas. Camisetas com a frase: "Um corpo transpassado salvou minha vida", foram vistas durante as comemorações da Páscoa na Universidade da Califórnia, no *campus* Davis. Outras com a frase: "Quem vocês dizem que eu sou?", baseada no texto de Lucas 9.20, proclamavam Cristo na Universidade da Califórnia em Santa Bárbara. Um grupo de universitários da igreja obteve permissão para realizar um encontro evangelístico em um *campus*. Duzentos jovens compareceram ao encontro, enquanto as mães permaneciam em oração.

Ore para que seus filhos tenham coragem de declarar sua fé e testemunhar a Cristo. Peça a Deus para que eles compartilhem as boas novas da ressurreição de Jesus com seus colegas de forma amável e sensível.

Pai, oro para que nas futuras gerações, incluindo meus filhos, haja pessoas de oração, que se mantenham firmes e corajosamente ao lado do Senhor em suas universidades.

> Com toda a oração e súplica, orando em todo tempo no Espírito e, para o mesmo fim, vigiando com toda a perseverança e súplica, por todos os santos (Ef 6.18).

Um movimento chamado *See you at the pole* [Encontro você no mastro] teve início em 1990, no Texas, com apenas trinta e cinco alunos. Hoje, milhares de crianças se reúnem em volta do mastro da bandeira e oram: "Ó Deus, dá-nos paixão pelo Senhor; salve nossos amigos; proteja-nos do mal e guarde também nossa escola".[3]

Um jovem de uma escola da Califórnia levou cerca de trezentos livretos intitulados *Connecting with God* [Conectando-se com Deus], publicado pela *Campus crusade for Christ* [Cruzada para Cristo], para um evento desse tipo realizado em sua escola. Os cristãos que organizaram o encontro deveriam distribuir esse livreto entre seus amigos quando eles lhes perguntassem por que estavam orando. Todos os livretos foram distribuídos e, ao longo do dia, ele viu várias crianças entregando-os aos seus amigos. Naquele dia, o Evangelho se espalhou por todo o campus.

Cinco rapazes cristãos comprometidos com o evangelho encontram-se semanalmente para orar por seus amigos e colegas que ainda não conhecem a Cristo. Quando um desses amigos ou colegas aceita a Cristo, eles fazem um círculo vermelho em torno do nome dessa pessoa e, a seguir, acrescentam um outro nome em sua lista de oração.

Durante uma partida de futebol em um estádio no Mississipi, vários estudantes sentados nas arquibancadas deram-se as mãos e começaram espontaneamente a orar o Pai Nosso. Quando chegaram ao trecho que diz: "livra-nos do mal", quatro mil e quinhentas pessoas presentes ao estádio já haviam se unido a eles em oração.

A oração está invadindo os corredores das escolas de ensino médio, pois os alunos se ajoelham em frente aos armários onde guardam o material escolar para orar durante trinta segundos por suas escolas. Tom Sipling, o fundador do movimento *"30-Second kneel down"* [Trinta segundos ajoelhados], diz: "Acredito que veremos coisas sobrenaturais, inacreditáveis, acontecerem através desta geração".[4]

Estudantes cristãos têm iniciado grupos de oração nos dormitórios e repúblicas, com o objetivo de cobrir de oração todas as partes do *campus*. Os alunos de uma faculdade no Estado da Flórida estão investindo seu tempo para que esta instituição, conhecida por suas festas, mude sua reputação e passe a ser conhecida por ser uma faculdade de oração.

O que poderia acontecer na escola de seus filhos?

Pai, oro para que as escolas de nossos filhos sejam orientadas por valores bíblicos e padrões morais elevados; que a tua Palavra retorne para as salas de aula.

Espero no Senhor com todo o meu ser, e na sua palavra ponho a minha esperança (Sl 130.5 - NVI).

O Conselho Nacional de Currículo Bíblico oferece cursos bíblicos, com certificados, para as escolas públicas de ensino médio. A Suprema Corte regulamentou o uso de textos bíblicos para o estudo de história e literatura. Como resultado, mais de dezoito mil alunos do ensino médio, em vinte e oito Estados, escolheram fazer esse curso.[5]

Em Fort Gibson, Oklahoma, os sessenta e seis livros da Bíblia foram incluídos na lista de livros que estimulam a leitura de uma escola pública, e, devido à demanda, a escola adquiriu quarenta exemplares da Bíblia para sua biblioteca. Isso tudo aconteceu graças ao empenho de duas meninas da quarta série do ensino fundamental e de uma professora cristã. "A Bíblia fez sucesso imediato com as crianças", disse a professora. "Está se tornando comum ver Bíblias nos pátios e na cantina. As crianças podem levar as Bíblias para casa e mostrá-las para seus pais".[6]

As verdades bíblicas também estão retornando às salas de aula através do ministério *Gateways to better education* [*Portais para a boa educação*] fundado por Eric Buehrer. Essa organização é responsável pelos *The holiday restoration cards* [*Cartões para recuperar o significado dos dias santos*] usados para ajudar os professores a entender como o aspecto religioso de algumas celebrações (como o Dia de Ação de Graças, Natal e Páscoa) pode ser ensinado na sala de aula.

Uma mãe californiana escreveu contando o seguinte fato: "A noite passada, durante a reunião de Pais e Mestres das sétimas e oitavas séries do ensino fundamental, anunciaram que o supervisor distrital e os diretores das escolas haviam decidido que A Regra de Ouro (Mt 7.12), deveria ser impressa e colocada de forma visível em cada sala de aula do distrito. Eles também decidiram incluir no currículo um curso sobre a importância do caráter. O diretor da escola onde meus filhos estudam mostrou-me três textos das Escrituras que estavam sendo preparados para serem publicados no boletim mensal do distrito".

Em Concord, na Carolina do Norte, a direção de uma escola de ensino médio teve que dizer a mais de cem alunos que eles não poderiam fazer o curso de estudo bíblico naquele ano. Sabe por quê? Todas as classes estavam lotadas![7]

Como você pode orar especificamente para que a escola de seus filhos seja influenciada por Cristo? Quais os principais desafios que devem ser incluídos em sua oração?

Pai, oro para que meus filhos se mantenham puros até o casamento e que essa abstinência seja ensinada em suas escolas.

Não vos prendais a um jugo desigual com os incrédulos (2 Co 6.14).

Porque esta é a vontade de Deus, a saber, a vossa santificação: que vos abstenhais da prostituição, que cada um de vós saiba possuir o seu vaso em santidade e honra, não na paixão da concupiscência, como os gentios que não conhecem a Deus; ninguém iluda ou defraude nisso a seu irmão, porque o Senhor é vingador de todas estas coisas, como também antes vo-lo dissemos e testificamos (1 Ts 4.3-6).

Que alegria quando a campanha "O Verdadeiro Amor Espera" foi entusiasticamente abraçada por milhares de jovens que se comprometeram a permanecer sexualmente puros!

Quando a filha de Jan se tornou uma adolescente, ela levou a menina de treze anos a um restaurante agradável e ali, durante o almoço, elas festejaram o privilégio de ela ser mulher e o fato de Deus estar preparando seu corpo para a maternidade. Jan encorajou sua filha a fazer um voto de se manter pura até o casamento. Essa promessa seria selada com um anel. A filha concordou, e assim, após o almoço, Jan levou-a a uma loja para que escolhesse o anel que usaria até o dia de seu casamento, quando então o entregaria ao seu marido, simbolizando que ela era um presente que só ele poderia desembrulhar.

Jan disse: "Muitas orações foram feitas para que ela mantivesse sua promessa com o Senhor. E ela cumpriu seu voto, entregando o anel ao seu marido no dia em que eles se casaram".

No fim da década de 1980, Lin fazia parte da Associação de Pais e Mestres da escola de seus filhos quando entrou em vigor uma nova lei estadual determinando que nas aulas de educação sexual fosse ensinada apenas a abstinência como forma de evitar doenças, ao invés do chamado "sexo seguro". Ela pediu para que seu grupo de oração orasse por ela, pois pretendia apresentar essa nova lei à direção da escola.

A direção da escola convidou-a a fazer parte do comitê que deveria supervisionar a implantação dessa lei. Como parte de suas funções, ela deveria avaliar todo o material que estava sendo usado na escola sobre educação sexual. Grande parte desse material não preenchia os requisitos da nova legislação. Quando ela apresentou o resultado de sua pesquisa à direção da escola, alguns membros da diretoria ficaram chocados com o tipo de material que estava sendo usado naquele distrito até então.

Hoje, este distrito faz parte dos 33% dos distritos de todo o país que defendem a abstinência na educação sexual. Isso significa que não é ensinado aos alunos como usar camisinha ou métodos sobre o controle da natalidade. Aprendem apenas que devem se abster de relações sexuais até que estejam prontos para o casamento. Métodos contraceptivos são discutidos apenas em relação às falhas que podem ocorrer, e os alunos são alertados de que o único método de controle de natalidade eficaz é a abstinência. Lin atribui a adoção desse currículo às mães que oraram fielmente enquanto ela se empenhava na luta para a aplicação correta da lei estadual.

Procure saber o que a escola de seus filhos está ensinando aos alunos. Use essa informação para orar mais especificamente sobre o assunto.

Pai, que eu possa encorajar os professores com palavras e ações, mas principalmente através de minhas orações.

E tudo quanto fizerdes por palavras ou por obra, fazei-o em nome do Senhor Jesus, dando por ele graças a Deus Pai (Cl 3.17).

O testemunho a seguir tocou meu coração: "Nos últimos cinco anos, lecionei em uma escola que foi drasticamente transformada pelo poder da oração. Em meu primeiro ano, [...] tanto os professores como os alunos, se sentiam física e emocionalmente esgotados. No entanto, algo maravilhoso aconteceu. Um grupinho de mães cristãs da escola começou a se reunir para orar. Essas orações provocaram uma diferença notável na atmosfera da escola".

Geralmente, os funcionários das escolas vêem de modo amigável essas mães que oram e costumam procurá-las para fazer pedidos de oração. Linda compartilhou uma das respostas de oração que mais gosta: "Uma das mães do nosso grupo recebeu um telefonema de um funcionário da escola antes de começarmos nossa reunião. Esse funcionário pedia que orássemos a respeito da situação da escola em relação às drogas. Os funcionários sabiam que havia doze alunos traficando drogas dentro da escola, mas não conseguiam nenhuma prova ou evidência para denunciá-los. Esse funcionário pedia que orássemos para que a escola conseguisse evidências para poder acusar esses alunos".

"Começamos a orar imediatamente, pedindo para que esses jovens fossem pegos em flagrante e que o Senhor destruísse as trevas ali existentes. Oramos também para que os alunos que traficavam drogas pudessem conhecer a Jesus e aceitá-lo como seu Salvador pessoal."

"Naquela mesma noite, uma das mães recebeu um telefonema do funcionário da escola que havia pedido que orássemos. Ele contou que quinze minutos depois de ter pedido para que nós orássemos, um aluno procurou-o para dizer onde os traficantes estavam."

"A polícia e os seguranças da escola cercaram a casa onde se encontravam os doze traficantes e vários alunos consumindo drogas".

Todos foram encaminhados ao centro de detenção para menores infratores, aonde vieram a conhecer o Senhor através do testemunho de um funcionário. Desta forma, Deus colocou esses jovens em um local onde teriam a chance de ouvir sobre o Evangelho.

Pai, peço que o Senhor alcance essas crianças problemáticas e carentes através de seus professores ou de outros recursos.

> A perdida buscarei, e a desgarrada tornarei a trazer; a quebrada ligarei, e a enferma fortalecerei (Ez 34.16).

Durante duas semanas, meu filho Travis foi o professor substituto de uma turma de menores infratores da sexta série do ensino fundamental. Essas crianças ficavam em um barracão isolado do prédio principal. Eram crianças esquecidas e marginalizadas. Aquelas que criavam problemas e se envolviam em confusão, enfim, crianças consideradas más. Quando Travis contou-me a história dessas crianças, fiquei com o coração partido: palavras obscenas jorravam de seus lábios, algumas usavam drogas, eram perigosas, rudes, mal-educadas, com baixa auto-estima, e completamente perdidas.

Nem todas as crianças têm uma mãe que ora por elas. Recentemente, fui convidada para falar a trezentos alunos do ensino médio em uma conferência de jovens cristãos. No fim da palestra, eu disse que possivelmente alguns jovens ali presentes não tivessem uma mãe que orasse por eles. Assim, eu disse àqueles jovens: "Se você deseja que alguém ore por você, ficarei honrada em poder orar por você". Após o encontro, fiquei surpresa ao ver a quantidade de jovens querendo uma mãe substituta para orar por eles.

Muitos deles choravam ao compartilhar as histórias de mães incrédulas e relacionamentos tensos. Jamais me esquecerei do pedido de oração feito por um rapaz. Ele me pediu para orar para que ele deixasse de odiar sua mãe. Enquanto eu orava por ele, as lágrimas corriam pelo seu rosto.

Na escola onde seus filhos estudam há uma classe para as crianças desordeiras e problemáticas? Quantos coleginhas de seus filhos não têm ninguém que ore por eles? Esta é uma excelente oportunidade para você orar por essas crianças. Você pode orar para que essas crianças encontrem a luz de Jesus e sejam libertas das trevas onde se encontram. Ore pela salvação dessas crianças. Ore para que Deus envie um professor, ou qualquer outra pessoa que possa ajudar essas crianças desprezadas com sabedoria, firmeza e amor. Ore para que o professor da classe tenha forças para enfrentar a batalha por essas crianças dia após dia. Ore pelas crianças que precisam da atenção de uma mãe que ora, para que Deus possa cercá-las com seu amor e para que sintam sua presença e cuidado.

Pai, peço que o Senhor una os professores e funcionários cristãos das escolas para orarem juntos por seus alunos.

Pois onde se acham dois ou três reunidos em meu nome, aí estou eu no meio deles (Mt 18.20).

Julie, uma professora cristã, relata como começou um grupo de oração em sua escola. "Durante uma reunião no Dia Nacional da Oração, foi levantada uma questão: por que não continuar a orar regularmente? Uma de minhas amigas estava envolvida com um grupo de *Moms in touch international* [*Mães em contato internacional*], então pensei que poderíamos também nos reunir para orar como professores, orando uns pelos outros e por nossos alunos. Assim, vinte e dois funcionários começaram a se reunir semanalmente para orar. Nesse tempo dedicado à oração, Deus tem confirmado nosso chamado para amar nossos alunos e ajudá-los a perceber o quanto eles são especiais, e como são maravilhosos os planos que Deus tem para eles. Esse é o nosso campo missionário, e através de nossas orações o poder de Deus tem operado na vida de nossos alunos".

"Assim que teve início uma reunião de *Moms in touch international* [*Mães em contato internacional*] na escola de minha filha, juntei-me ao grupo e recebi um cartão com os seguintes dizeres: Se você não orar por seus filhos, quem o fará? Em minha escola, posso afirmar: Os professores estarão orando!"

A melhor parte de ser alguém que se coloca na brecha dos muros de nossas escolas é ver que nossas orações produzem resultados totalmente inesperados. Uma mãe de Washington relatou o seguinte: "No caminho que levava à escola de meus filhos havia uma rua estreita que se tornou o ponto de encontro das gangues. Nosso grupo de oração estava orando há quatro anos para que Deus fizesse alguma coisa em relação a esse problema. Deus respondeu às nossas orações de uma forma que não esperávamos. Como os integrantes das gangues haviam pichado os muros da rua, eles foram obrigados a limpá-los. Quando o marido de uma das mães do nosso grupo tomou conhecimento desse fato, ele sugeriu que alguns pais se oferecessem para ajudá-los a fazer a limpeza".

"Os membros da gangue ficaram espantados quando viram aqueles pais se dispondo a ajudá-los a raspar e pintar os muros. Enquanto eles trabalhavam lado a lado, os jovens foram abandonando a hostilidade inicial e alguns deles chegaram a compartilhar as dolorosas dificuldades que enfrentavam."

"Quando os pais trouxeram sanduíches e refrigerantes para todos, Deus amoleceu o coração daqueles jovens, dando oportunidade para os pais responderem à pergunta que todos eles queriam fazer desde o início: 'Por que vocês estão fazendo isso? Por que estão sendo tão gentis?'."

"Assim, eles puderam compartilhar o Evangelho com aqueles jovens e, como Deus prometeu, sua Palavra não voltou vazia. As atitudes começaram a se modificar, alguns membros da gangue vieram nos procurar para conversar e buscar nossos conselhos, e outros começaram a desenvolver um comportamento menos agressivo."

"Já faz seis anos que isso aconteceu", prossegue essa mãe, "e nunca mais tivemos problemas com gangues em nossa escola".

Espero que todos esses relatos possam encorajá-la a orar fervorosamente e de forma regular pela escola de seus filhos. Isso certamente fará grande diferença na elaboração do currículo escolar, no ambiente espiritual, na maneira de lidar com as crianças e no futuro delas.

Eric Buehrer, fundador do movimento *Gateways to better education* [Portais para a boa educação], expressa seu entusiasmo em relação às escolas públicas:

> Estamos no limiar de grandes oportunidades em nossas escolas públicas. Quando olho para o dia de amanhã, vejo um lindo amanhecer, e não o sol se pondo. Vejo o ensino nas salas de aula enriquecido pelo uso adequado de valores e ideais cristãos. Vejo as crianças e os jovens — pela primeira vez em suas vidas — demonstrando um novo respeito e apreciação pelo cristianismo e por sua influência nos EUA, no mundo e em suas próprias vidas. Com a graça e a direção de Deus, nós podemos mudar o curso da história.[8]

Orar pelas escolas transforma as mães

Deus transforma sua vida quando você ora pela escola de seus filhos. Você pode ampliar seus relacionamentos para além dos limites familiares, sentir mais compaixão pelos professores e administradores, envolver-se com os assuntos da escola de forma construtiva, e perceber que você pode fazer diferença na vida das pessoas.

Karen diz: "Quando oramos por uma escola, o amor e a preocupação que sentimos por nossa família se expandem e atingem outras pessoas e circunstâncias. Ao orarmos por determinados alunos, professores e funcionários, o amor que sentimos por cada um deles cresce".

Uma mãe relatou que odiava o diretor da escola de seu filho e vivia reclamando de suas atitudes. Porém, quando ela começou a orar pela escola, descobriu que poderia trabalhar com o diretor de uma forma totalmente diferente.

Raylene nos conta como sua vida foi transformada: "Posso testemunhar o quanto tenho sido abençoada desde que comecei a freqüentar um grupo de oração. Tenho crescido espiritualmente e experimentado um entusiasmo renovado para me dedicar de tempo integral aos meus filhos. Sinto que meu amor pelo meu marido tem se fortalecido, e deixei de me preocupar tanto com a arrumação da casa — hoje quero que meu lar seja o lugar preferido de cada membro de minha família".

Bem, não posso prometer que se você orar pela escola de seus filhos isso irá torná-la uma dona de casa melhor! No entanto, tenho recebido uma grande quantidade de cartas de mulheres relatando que suas vidas foram transformadas depois que começaram a orar por mudanças na escola de seus filhos.

Bernie compartilha a mudança ocorrida na vida de sua esposa depois que ela aprendeu a orar com o grupo de *Moms in touch international* [*Mães em contato internacional*]: "Eu não sou mãe, nem aluno e muito menos professor, mas posso testemunhar o impacto que *Moms in touch international* [*Mães em contato internacional*] teve em minha vida. Sou apenas o marido de uma mãe que faz parte de um desses grupos de oração. Minha esposa sempre foi amorosa com nossos filhos e muito dedicada a eles, porém ela reconhece que era extremamente ansiosa e preocupada. Depois de alguns meses que ela passou a freqüentar o grupo de oração, percebi que Deus estava tirando as preocupações e ansiedades do coração de minha esposa e substituindo-as por paz de espírito e uma confiança maior".

"Eu também desejava ter mais fé. Sou cristão há anos, gosto de estudar a Bíblia, mas nunca tive muito interesse por reuniões de oração."

"Certa noite, após o jantar, minha esposa e eu estávamos no sofá da sala, conversando, e eu lhe pedi o seguinte: 'Não consigo orar por uma hora como vocês fazem no grupo de oração. Mas você não poderia me ensinar a orar?'."

"Minha esposa sugeriu então que começássemos a orar ali mesmo, seguindo os quatro passos da oração. Só nos levantamos daquele sofá uma hora mais tarde."

"Nas semanas seguintes, minha esposa e eu passamos a orar juntos regularmente. Eu comecei a levantar uma hora mais cedo para dedicar esse tempo à oração, antes de fazer meu estudo bíblico. Desde então, Deus tem me dado renovado entusiasmo e alegria em minha vida espiritual."

Vamos orar

Preparamos uma lista com vários motivos pelos quais você deve orar. Ore:

- Para que a cegueira espiritual provocada pelo inimigo nos alunos, professores e funcionários das escolas seja extirpada, de modo que eles entendam claramente as Boas Novas do Evangelho e venham a crer em Jesus Cristo.
- Para que os alunos cristãos vejam suas escolas como campos missionários, buscando oportunidades para compartilhar a fé em Jesus.
- Para que nossas escolas sejam orientadas por princípios bíblicos e padrões morais elevados.
- Para que as organizações voltadas para o evangelismo de jovens e estudantes nas escolas não desanimem nem percam a esperança, mas sejam fortalecidas pelo Espírito Santo para ter perseverança e paciência.
- Para que os estudantes que praticarem atos condenáveis sejam descobertos.
- Para que os movimentos de oração e clubes bíblicos, liderados por estudantes, cresçam cada vez mais em todas as escolas.
- Para que as cadeias do uso de drogas, da imoralidade sexual e da violência sejam quebradas. Ore para que Deus revele alguma outra cadeia que precisa ser destruída.
- Para que Deus promova a reconciliação racial entre os estudantes.
- Para que os professores e funcionários cristãos se unam em oração em seu local de trabalho.
- Para que os professores cristãos reconheçam as filosofias seculares inseridas no currículo e também apresentem abertamente o ponto de vista cristão.

- Para que Deus levante educadores cristãos em nossas escolas.
- Para que nossas escolas sejam resguardadas de ataques violentos.
- Para que todas as crianças traumatizadas consigam superar seus temores e venham a crer no Senhor Jesus; que Deus conceda paz de espírito a essas crianças.
- Para que haja um despertamento espiritual em todas as escolas.
- Para que o espírito de oração seja derramado sobre todas as mães, do mundo inteiro, para que elas se unam para orar por seus filhos e por suas escolas.

As escolas cristãs também precisam de oração

Muitas das orações erguidas em prol das escolas públicas poderiam ser aplicadas também às escolas cristãs. Robin orou durante treze anos pelas escolas cristãs. Ela relata o que aconteceu no primeiro encontro que teve com algumas mães interessadas em começar um grupo de oração em uma escola cristã. A primeira pessoa que chegou para a reunião fez o seguinte comentário: "Onde estão todas as mães? Esperava ver muitas mães presentes a essa reunião — afinal, essa é uma escola cristã". Ela logo percebeu que podemos facilmente nos acomodar à situação em nossas escolas cristãs. Achamos que nossos filhos estão sendo bem cuidados. Por que precisariam de mais orações? Muitas vezes nos esquecemos que nossos filhos estão crescendo em um mundo pecaminoso e incrédulo, e que enfrentam os mesmos desafios e tentações das outras crianças.

Precisamos ter em vista que, quer nossos filhos estudem numa escola pública, quer numa escola particular, todos eles precisam de oração. Precisamos deter essa onda de maldade que está invadindo nossa terra e afetando nossos filhos e nossas escolas. Oswald Chambers escreveu: "Através da oração intercessora, podemos impedir que Satanás ataque outras vidas, além de abrir uma oportunidade para que o Espírito Santo atue nelas".[9] Posso sentir Deus derramando seu espírito de oração sobre as mães do mundo todo.

Por que as mães devem orar? Porque "a oração de uma pessoa piedosa tem muito poder" (Tg 5.16 - BLH). Mães de todas as denominações evangélicas estão se levantando diante do desafio de separar um tempo em sua rotina atribulada para se dedicarem à oração e se tornarem reparadoras de brechas. Essas mães estão dando a seus filhos o melhor presente que poderiam dar a eles — suas orações.

O dom da oração ao redor do mundo

Deus está levantando mães de todas as nações, línguas e etnias. Nossas irmãs da Índia desfrutaram do gozo celestial enquanto oravam por seus filhos, e não conseguiram parar — oraram a noite toda. Elas estavam pondo em prática o texto de Isaías 62.6,7: "Ó Jerusalém, sobre os teus muros pus atalaias, que não se calarão nem de dia, nem de noite; ó vós, os que fazeis lembrar ao Senhor, não descanseis, e não lhe deis a ele descanso até que estabeleça Jerusalém e a ponha por objeto de louvor na terra". Essas mulheres não descansaram enquanto não oraram tudo que Deus havia colocado em seus corações.

Sharon Arrington compartilha sua experiência com mães que derramaram seu coração como se fosse água — literalmente. Quando ela esteve em Uganda como representante do ministério *Moms in touch international* [*Mães em contato internacional*], ela ensinou as mães a orarem por seus filhos de acordo com os textos das Escrituras. As mulheres então caíram de joelhos, orando por seus filhos e derramando lágrimas enquanto oravam, formando pequenas poças no chão.

Uma mãe egípcia disse o seguinte: "Clamamos por nossos filhos todos os dias, pois eles vão à escola e não aprendem absolutamente nada sobre Cristo. Estamos desesperadas. Mas damos graças a Deus por vocês terem nos dado uma nova visão. Começamos a reunir irmãs em Cristo para orar por nossos filhos, pelos professores e escolas. Agora não estamos mais desesperadas. Sabemos que podemos fazer algo pelo bem de nossos filhos e de nossas escolas".

Olga de Tamacas, que mora em El Salvador, relata o seguinte: "Além dos problemas partilhados por todas as mães, em todas as partes do mundo, as mães do meu país sofrem com as conseqüências de doze anos de guerra civil. Nossos jovens são violentos, e as armas de fogo proliferam em nossa sociedade. Tudo isso, somado à desintegração familiar, trouxe dois flagelos que têm levado nossa nação ao desespero: gangues de jovens e seqüestros. Mas o ministério *Moms in touch* [*Mães em contato*] renovou as esperanças das mães salvadorenhas. Sempre que a idéia de orar por seus filhos e por suas escolas é apresentada, as mães nos dizem: 'É disso que precisamos. Como ninguém pensou nisso antes?'".

Colleen Reph, da equipe de *Moms in touch international* [*Mães em contato internacional*] em Washington, esteve na Rússia e posteriormente nos relatou o seguinte: "Enquanto compartilhava sobre nossos grupos de oração com todas aquelas mães da Rússia, algo maravilhoso aconteceu. Apesar dos nossos idiomas serem diferentes, o que dificultava a comunicação, elas se aproximaram de mim, no final das reuniões e colocaram as mãos sobre o meu coração e depois sobre o delas, demonstrando que haviam entendido a mensagem e que nossos corações estavam em sintonia. O coração de uma mãe é o mesmo em qualquer lugar do mundo".

Grupos especiais de oração

Mães que oram dentro das prisões

Mulheres encarceradas também desejam orar por seus filhos. Há grupos de oração em mais de dez prisões.

Martha está na prisão por desviar dinheiro da firma onde trabalhava. Pouco tempo antes de ser condenada, ela se reconciliou com o Senhor. Para ela, a pior coisa de estar presa numa cadeia é não poder cuidar de seus filhos. Assim que Martha descobriu que 75% das setecentas prisioneiras que cumprem pena naquela prisão eram mães que ansiavam se aproximar mais de seus filhos, ela decidiu iniciar um grupo de oração dentro da prisão. "No primeiro encontro tivemos quinze mães presentes", disse Martha, "e oramos por quarenta e cinco crianças e vinte escolas. Quando o Senhor me chamou para liderar um grupo de oração na prisão, fiquei apavorada. Fiquei com medo de ser perseguida por outras prisioneiras ou pelos funcionários da prisão. Contudo, ao contrário do que eu esperava, graças ao grupo de oração pude desenvolver amizade com essas mães. O fato de estar na prisão pode até tornar mais fácil para essas mães orar pelos filhos, pois elas não têm outras atividades, como levar as crianças aos jogos de futebol, lavar e passar roupa, cozinhar e todas as outras tarefas diárias de uma mãe, que possam interferir em sua tarefa mais importante — orar pelos filhos".

Mães que ensinam em casa oram

As mães que ensinam em casa também sentem necessidade de se unir em oração. Elas têm uma situação única, pois desempenham duas funções, como professoras e mães de seus filhos. Uma dessas mães expressa sua gratidão pelo *Moms in touch international* [*Mães em contato internacional*] por suprir sua necessidade de apoio e de orações. Ela diz: "Gostamos de orar pelos professores, pois desse modo estamos orando por nós mesmas. Além disso, oramos também por nossos maridos, pois eles desempenham a função de diretor. Em nosso grupo de oração, oramos por toda a família. E isso é muito agradável".

Avós que oram

Nos dias atuais, em que nossos familiares parecem estar espalhados pelo mundo todo, podemos nos aproximar de nossos queridos através da oração. Isso se aplica especialmente às avós. Já começaram a surgir alguns grupos de *Grandmothers in touch* [*Avós em contato*]. Graças a esses grupos, as avós estão tendo contatos regulares e significativos com seus netos, pois perguntam às crianças como podem orar por elas, por seus professores, seus amigos e suas escolas. Quando as orações dessas avós são respondidas, elas estão transmitindo aos netos que um Deus amoroso se importa com eles.

Prestem bem atenção, jovens — suas avós estão orando por vocês!

Mães que trabalham oram

As mães que trabalham fora, em regime de tempo integral, sentem grande necessidade de orar por seus filhos. Muitas vezes, elas têm a impressão que estão perdendo contato com eles. Participar de um grupo de *Working moms in touch* [*Mães que trabalham fora em contato*] permite que essas mães tenham um contato mais íntimo com seus filhos e com as escolas, graças à oração.

Uma dessas mães escreveu contando sobre o apoio maravilhoso que recebeu de outras quatro mães que também trabalham fora e que oraram com ela. Elas se reúnem para orar todos os sábados às 5h30 da manhã, no subsolo de um banco onde uma delas trabalha. Ela contou que as mães costumam vir para a reunião "do jeito que estão", isto é, algumas vêm vestidas de roupão e chinelos.

Plantão de oração

As mães que participam dos nossos grupos de oração espalhados por todo o país e pelo mundo costumam se reunir para orar em situações de emergência envolvendo nossos filhos ou nossas escolas. Essa poderosa rede de mães que oram entra em ação sempre que surge uma necessidade.

Essa rede ficou famosa durante o trágico episódio ocorrido na escola Columbine, em Littleton, no Estado do Colorado, quando dois jovens armados dispararam vários tiros, mataram doze colegas e uma professora e, por fim, suicidaram-se.

Uma das vítimas dessa tragédia se chama John Tomlin, e sua mãe, Doreen, fazia parte de um grupo de *Moms in touch international* [*Mães em contato internacional*]. Alisa, a líder do grupo de oração na escola Columbine, disse: "As manifestações de carinho que recebemos das mulheres dos grupos de oração do mundo todo foram impressionantes. Foram centenas e centenas de cartas e de presentes para a família de John Tomlin e para as outras famílias. Doreen contou-me que leu e releu várias vezes as cartas de todas aquelas mulheres, pois suas palavras lhe davam confiança e reafirmavam sua fé de que Deus estava no controle".

Doreen disse: "Orei para que Deus protegesse nossos filhos, no entanto, se todas as mil e oitocentas crianças da escola tivessem morrido, conforme era a intenção dos atiradores, os testemunhos das crianças cristãs poderiam passar despercebidos. É reconfortante saber que alguém pôde conhecer a Cristo através da morte de John. Seu melhor amigo foi um dos que aceitou Jesus depois da morte de John".

Alisa acrescentou ainda: "Nós orávamos para que Columbine fosse uma luz para o resto do mundo, e Deus respondeu às nossas orações de uma forma totalmente inesperada, e muito maior do que poderíamos imaginar. Jamais vi Deus agir de forma tão visível. Tudo isso está muito além da minha compreensão. Tão grande alegria junto a uma dor intensa. Aquilo que Satanás pretendia destruir Deus recuperou cem vezes mais. Em vez de perder aquelas crianças, Deus acrescentou-as ao seu rebanho. Por isso, minha recomendação para as mães é que continuem orando, pois Deus ouve as orações".

Nunca estamos preparadas para receber a notícia da morte de um filho. Mas Deus nos deu privilégio e a honra de nos colocarmos na brecha em favor daqueles que estão passando pela dor da perda.

Gratidão às mães

Os filhos entendem muito bem o significado de ter uma mãe orando por eles. Minha filha, Trisha, contou-me certa vez: "Sempre que penso em todas essas mulheres que se reúnem semanalmente para orar por seus filhos, fico profundamente emocionada. Sou grata a essas mulheres que regaram minha vida com suas orações durante tantos anos. Tenho certeza que não seria a pessoa que sou hoje sem as orações de todas essas mães. Tenho provado em minha própria vida da generosidade do coração de uma mãe e serei sempre abençoada por ela perseverar em oração".

Nem todos conseguem expressar sua gratidão da mesma forma que Trisha. Assim, estendo a todas as mães a gratidão que todo filho gostaria de expressar. Os versos a seguir são dedicados às mães que oram:

Obrigado, mamãe

Obrigado, muito obrigado por todas as vezes
Que você orou por mim, a cada semana;
Por oferecer esses momentos especiais
Para interceder junto com outras mães.

Quem busca a vontade de Deus na vida de seus filhos
Sabe que este é o caminho
Para apresentar seus corações ao Criador
A fim de nos tornarmos mais santos a cada dia.

Você não pode imaginar o que significa para mim
Saber que estou coberto por suas orações.
Sentir o quanto você se importa
Aquece meu coração.

Nunca deixe de orar por mim, querida mamãe,
Suas sementes de amor irão me ensinar
a amar este Deus
A quem você ora por mim.

Cathy Roby

A oração de Isaías por Jerusalém nos auxilia a expressar como devemos orar por nossos filhos e por suas escolas. Ore comigo:

Deus soberano, o amor que sentimos por nossos filhos e a preocupação pelas escolas nos impedem de ficarmos caladas. Não deixaremos de orar até que a sua justiça resplandeça como a luz do meio-dia, e a sua salvação como uma tocha acesa. Que eles possam ser chamados de povo santo, remidos do Senhor, e que suas escolas possam ser conhecidas como lugar Procurado, cidade não desamparada (Is 62.1,12). Em nome de Jesus, Amém.

12
Nunca desista de orar!

LYNNE DUVIDAVA QUE ALGUM dia pudesse ver alguma mudança na vida infeliz de sua filha. Ela conta:

> Julie era uma daquelas adolescentes rebeldes que não aceitam nada do que dizemos e gostam de experimentar todas as coisas ruins. Meu grupo de oração permaneceu intercedendo por ela durante o período em que enfrentou uma grave depressão, chegando a se mutilar e a tentar o suicídio várias vezes. Minhas parceiras de oração não desistiram de orar nem quando, três dias após completar dezoito anos, ela se casou com um homem que uma semana depois do casamento se envolveu numa relação extraconjugal, além de maltratá-la.

Depois de dez meses de casada, ela se divorciou e retomou seus estudos na universidade, que havia abandonado para se casar. Essa foi uma grande resposta às nossas orações, pois Julie precisou de uma boa dose de coragem para retornar ao local em que todos sabiam o que havia acontecido.

Logo a seguir, Julie foi convidada a participar de um acampamento de fim de semana junto com um grupo de quinze estudantes. No entanto, ela decidiu não ir quando descobriu que eles estavam planejando passar o fim de semana bebendo e usando drogas. Quando Julie me contou sobre o acampamento, meu grupo de oração começou a orar para que Deus impedisse esses alunos de fazerem essa viagem.

No dia em que os colegas de Julie deveriam sair para acampar, ela me telefonou para contar que estava chovendo tanto que não dava para enxergar o estacionamento do alojamento dos estudantes. Eu então lhe perguntei: "E seus colegas, foram acampar?", e ela respondeu: "Claro que não. Desde cedo que não pára de chover". Então contei a ela que nosso grupo estava orando para que o Senhor os impedisse de fazer aquela viagem. Julie ficou calada por um minuto e depois perguntou: "Você está me dizendo que vocês podem orar para fazer chover?". Não preciso dizer que caí na risada com esse comentário.

Depois de muitos anos fugindo do Senhor, Julie finalmente entregou sua vida a Ele. Ela voltou para casa no dia em que meu grupo de oração estava reunido para começar a orar. Pedi a ela que esperasse um pouco, pois não poderia conversar com ela naquele momento. Então ela me perguntou: "Mãe, você contou para as outras mães que suas orações salvaram minha vida?". "Sim, Julie, eu contei a elas", respondi.

Deus diz: "Os que por mim esperam não serão confundidos" (Is 49.23). Que promessa maravilhosa para aquelas mães que carregam fardos pesados por seus filhos. Paulo diz em Romanos 12.12 que devemos nos "alegrar na esperança" e "perseverar na oração", pois "a fé é o firme fundamento das coisas que se esperam, e a prova das coisas que não se vêem" (Hb 11.1).

Oração persuasiva

Nos tempos difíceis, quando nossos filhos não estão seguindo o caminho do Senhor, ou quando nos sentimos debilitados por alguma doença, ou quando um marido está desempregado, nós nos agarramos pela fé às palavras do Senhor. Suas palavras impedem que sejamos engolidos pelas tempestades e as orações são nosso bote salva-vidas.

O que é oração persuasiva? É uma oração persistente. É perseverar na oração até obter uma resposta (Cl 4.2). É acreditar que nossas orações podem transformar a vida de outras pessoas. É regozijar-se antecipadamente, à espera que o Deus do céu e da terra responda nossas orações.

A oração persuasiva é semelhante ao pedido de Jacó quando lutou com o anjo em Gênesis 32.24. Ele lutou, chorou e suplicou (Os 12.4). Ele não perdeu a fé, apesar da bênção ter demorado. Ele não lutou com suas próprias forças nem prevaleceu por causa de seu próprio esforço, mas pela força de Deus.

> Orar de forma persuasiva é regozijar-se antecipadamente, à espera que o Deus do céu responda nossas orações.

Medite nas palavras de encorajamento abaixo para prevalecer em oração:

> Acaso contenderia ele comigo segundo a grandeza do seu poder? Não; antes ele me daria ouvidos (Jó 23.6).
>
> Não por força nem por poder, mas pelo meu Espírito, diz o Senhor dos exércitos (Zc 4.6).
>
> Do mesmo modo também o Espírito nos ajuda na fraqueza; porque não sabemos o que havemos de pedir como convém, mas o Espírito mesmo intercede por nós com gemidos inexprimíveis (Rm 8.26).

É assim que devemos orar por nossos filhos! Perseverar em oração de forma fervorosa, sincera, apaixonada, intensa e persistente. Como Jacó, devemos continuar lutando em oração até que Deus abençoe nossos filhos — até que Ele responda nossas orações. Por intermédio da força de Deus, nós iremos prevalecer. "Senhor, eu não o deixarei enquanto o Senhor não abençoar meus filhos." Uma oração como essa provém de um coração devotado a Deus; Ele é a nossa única esperança.

Por quais motivos você precisa orar de forma persuasiva?

A oração persuasiva deve se apoiar nas promessas de Deus até obter uma resposta, independentemente do tempo de espera. Como diz Gary Bergel, presidente de um ministério de intercessão dos Estados Unidos, "oramos até que Ele acerte, resolva, acabe ou dê uma solução para o problema apresentado".[1] Um intercessor persuasivo confia no tempo de Deus para obter uma resposta. Ele sabe que para Deus mil anos são como um dia (Sl 90.4).

Uma mãe decidiu que a escola de seu filho precisava ter um grupo de oração que orasse com ela. Assim, essa mãe colocou anúncios no jornal e no boletim da igreja incentivando outras mulheres a participarem do grupo, mas nenhuma mãe se juntou a ela. Mesmo assim, uma vez por semana essa mãe, fielmente, arrumava as cadeiras na sala de reunião e passava uma hora orando sozinha. A cada semana, sua filha lhe perguntava: "Alguém veio orar com você, mãe?", e ela respondia: "Jesus estava ao meu lado, sentado numa das cadeiras". Durante quatro anos essa mãe orou sozinha, até que finalmente doze outras mães se uniram a ela.

Devemos considerar seriamente as palavras de Jesus: "Contou-lhes também uma parábola sobre o dever de orar sempre, e nunca desfalecer" (Lc 18.1). A oração persuasiva nos aproxima de Deus. Precisamos ouvir sua voz que nos consola e renovar a confiança em sua presença ao nosso lado. O versículo favorito de meu marido fala sobre isso: "Mas os que esperam no Senhor renovarão as suas forças; subirão com asas como águias; correrão, e não se cansarão, andarão, e não se fatigarão" (Is 40.31).

A parte de Deus, e a nossa parte

Ao ler o livro de Jean Fleming, *A Mother's heart* [Coração de mãe], em que ela relata um episódio mencionado em 2 Reis, percebi o quanto essa história se aplica à oração. Esse episódio nos faz perceber que, embora nós possamos fazer alguma coisa, existem outras que só Deus é capaz de realizar.

O texto de 2 Reis relata que três reis uniram suas forças para lutar contra os moabitas. Enquanto esses exércitos perseguiam o inimigo, de repente eles perceberam que estavam no meio do deserto, sem água. Os soldados e seus animais estavam morrendo de sede. Eliseu, o profeta, foi enviado para perguntar a Deus o que eles deveriam fazer.

Eliseu, depois de consultar o Senhor, disse: "Assim diz o Senhor: Fazei neste vale muitos poços. Porque assim diz o Senhor: Não vereis vento, nem vereis chuva; contudo este vale se encherá de água, e bebereis vós, os vossos servos e os vossos animais. E ainda isso é pouco aos olhos do Senhor" (2 Rs 3.16-18).

Se eles quisessem água, teriam que cavar poços. Suas línguas estavam grudadas no céu da boca, seus lábios estavam rachados e gotas de suor escorriam de suas testas. Todos estavam muito cansados, e alguns provavelmente desmaiaram enquanto cavavam os poços. Contudo, para que o milagre acontecesse, era preciso que eles fizessem a parte deles.

Quanto tempo eles levaram para cavar esses poços? Qual a profundidade deles? Não sabemos, mas o que nós sabemos é que "pela manhã, à hora de se oferecer o sacrifício, eis que vinham as águas pelo caminho de Edom, e a terra se encheu d'água" (v. 20).

Sejam quais forem as circunstâncias, precisamos aquietar nosso coração, pois o Senhor nos diz para permanecermos em oração até o fim. Em 1 Pedro 4.7 está escrito: "Mas já está próximo o fim de todas as coisas; portanto sede sóbrios e vigiai em oração".

Sejam quais forem as circunstâncias, precisamos aquietar nosso coração, pois o Senhor nos diz para permanecermos em oração até o fim.

Quando Deus retornar à terra, Ele quer encontrar sua noiva orando.

Às vezes você se sente desanimada? Ou sente que sua fé é pequena, ou que suas forças estão se esgotando? Jesus diz que até mesmo nesses momentos devemos continuar conversando com Ele. Sim, mesmo que você tenha perdido as esperanças. Ninguém compreende isso tão bem quanto Jesus. "Porque não temos um sumo sacerdote que não possa compadecer-se das nossas fraquezas; porém um que, como nós, em tudo foi tentado, mas sem pecado. Cheguemo-nos, pois, confiadamente ao trono da graça, para que recebamos misericórdia e achemos graça, a fim de sermos socorridos no momento oportuno" (Hb 4.15,16).

Você pode ter o privilégio de levar até Jesus, em oração, o nome de uma amiga querida que está sofrendo com uma doença prolongada, como esclerose múltipla. Embora você possa orar pela cura, você também pode orar para que Deus:

- Conceda a ela sua graça para suportar o sofrimento;
- Fortaleça seu interior pelo poder do Espírito Santo;
- Possa se revelar a ela de uma forma muito mais profunda;
- Faça com que ela entenda quão profundo, vasto e duradouro é o amor de Jesus por ela.

Mas seja qual for o motivo de suas orações, o mais importante é permanecer firme. Nunca desista de orar.

Você também pode orar por aquelas pessoas com quem teve apenas um breve contato. Por exemplo, estou orando por uma jovem que minha nora conheceu na sala de espera do médico. Essa moça, grávida de oito meses e completamente sozinha, descobriu há alguns meses que está com câncer no útero. Os médicos queriam que ela abortasse o bebê, mas ela se recusou. Oro para que ela se salve e para que Deus coloque pessoas em sua vida que possam amá-la e ajudá-la. Oro também para que o Príncipe da Paz habite em seu coração.

São muitas as situações que requerem uma oração persuasiva. Algumas pessoas precisam que outras clamem a Deus por elas de dia e de noite. Como diz Isaías 62.6: "Ó Jerusalém, sobre os teus muros pus atalaias, que não se calarão nem de dia, nem de noite; ó vós, os que fazeis lembrar ao Senhor, não descanseis".

Um Deus ansioso por ajudar

Deixar de orar por não saber ao certo por quais motivos você deve orar não é uma decisão sábia. Devemos crer que o Espírito Santo é capaz de interpretar perfeitamente aquilo que está confuso em nossa mente e apresentá-lo diante do Senhor. Precisamos entender de uma vez por todas que Deus está ansioso por nos ajudar!

Spurgeon tenta descrever como Deus reage às nossas orações, colocando-se no lugar dele:

> Para Mim, o Senhor do universo, ajudá-la é algo simples e corriqueiro. Considere tudo que Eu já fiz por você e depois me responda por que eu não iria ajudá-la se eu a comprei com meu sangue? Como poderia deixar de ajudá-la? Lembre-se: Eu morri por você, e se fui capaz de dar a minha vida por você, por que não iria ajudá-la? Isso é o mínimo que eu posso fazer por você; já fiz mais, e farei ainda mais. Eu escolhi você

antes da criação do mundo. Fiz uma aliança com você; deixei de lado minha glória e tornei-me humano por sua causa; dei minha vida por você. Se fiz tudo isso por você, por que deixaria de ajudá-la exatamente agora? Eu vou ajudá-la; darei a você aquilo que já tenho reservado para você. Se você necessita de muito mais ajuda, eu lhe darei; o que você precisa é pouco, comparado com o que eu tenho preparado para lhe dar. Pode ser muito para você, mas para mim não é nada.[2]

É impossível não confiar em um Deus como esse.

Certa ocasião, eu estava viajando de carro por uma estrada ladeada por campos de trigo quando avistei, ao longe, uma árvore solitária. Essa árvore estava inclinada, formando um ângulo de quarenta e cinco graus com o chão. Dia após dia, ano após ano, a árvore vagarosamente foi sucumbindo à força dos ventos que varriam continuamente aquela região.

Nossas orações persuasivas são como o vento do Espírito Santo, fazendo com que o objeto de nossa oração se incline diante de sua força persistente. Algumas vezes não conseguimos enxergar os resultados de nossas orações, mas podemos ter certeza que Deus está agindo.

Vamos orar

Orar durante longo tempo por um problema difícil de resolver serve para testar nossa paciência, nossa fé e nossa criatividade. Conforme o tempo vai passando, fica difícil saber sobre o que devemos orar. Orar usando textos das Escrituras poderá ajudá-la a perseverar em oração. Apresentamos a seguir algumas orações baseadas em textos das Escrituras, nas quais você pode inserir o nome da pessoa por quem está orando nos espaços em branco. Lembre-se que Deus prometeu que a sua palavra não retornaria vazia. Portanto, não importa se a resposta está demorando a chegar, Jesus diz para "orar sempre, e nunca desfalecer" (Lc 18.1).

Pelos pródigos

Pai de misericórdia, estende as tuas mãos desde o alto e livra _____; arrebata-o das poderosas águas e da mão do estrangeiro, cuja boca fala vaidade, e cuja mão direita é a destra da falsidade (Sl 144.7,8).

Pelos maridos

Meu Pai fiel, oro para que o Senhor dê a_____ um coração não dividido e coloque um novo espírito dentro dele; peço que retire dele o coração de pedra e dê a ele um coração de carne. Assim, ___ agirá segundo os seus decretos e será cuidadoso em obedecer às suas leis. Que ______ possa saber que o Senhor é o seu Deus (Ez 11.19,20 - NVI).

Pelas enfermidades prolongadas

Querido Pai misericordioso, peço-Lhe que fortaleça _____ segundo o poder da sua glória, para que______ tenha grande perseverança e paciência, com alegria (Cl 1.11 - NVI).

Pela salvação

Pai de amor, peço que o Senhor abra os olhos de _____ a fim de que se converta das trevas à luz, e do poder de Satanás a Deus, para que receba remissão de pecados e herança entre aqueles que são santificados pela fé no Senhor (At 26.18).

Pelas aflições

Pai celeste, oro em nome de Jesus para que _____ não ande ansioso(a) por coisa alguma; antes em tudo sejam os pedidos de _____ conhecidos diante de Deus pela oração e súplica com ações de graça. Agradeço porque o Senhor prometeu que dará a_____ a paz de Deus, que excede todo o entendimento e que guardará o coração e os pensamentos de _____ em Cristo Jesus (Fp 4.6,7).

Tempo para agir, tempo para orar

Algumas vezes, temos dificuldade de esperar pela resposta de Deus às nossas orações. Em vez de confiar, achamos melhor interferir e resolver o assunto por nós mesmos. Mas ao agirmos dessa forma, corremos o risco de intervir de modo completamente diferente da forma como Deus agiria. Assim, antes de agir, devemos perguntar a Deus o que Ele quer que façamos — ou que deixemos de fazer.

Somos como o garoto que ao encontrar um casulo, ficou sentado observando o esforço da borboleta para fazer um pequeno orifício naquele casulo e conseguir sair. O garoto achou que era muito triste ver a borboleta se esforçar tanto e aparentemente, obter poucos resultados. Então ele decidiu ajudá-la. Pegou uma tesoura e cortou o casulo, libertando a borboleta aprisionada.

A borboleta conseguiu sair do casulo, mas seu corpo estava inchado, e suas asas eram ainda pequenas e enrugadas, impedindo-a de voar. Aquela borboleta nunca iria voar, pois o menino não sabia que o esforço para romper o casulo era necessário para fortalecer suas asas e permitir que ela voasse.

Alguns jovens precisam se esforçar para encontrar sua fé. Nossa tarefa é amá-los incondicionalmente e perseverar em oração. Devemos orar para que o Senhor nos dê sabedoria para saber quando devemos agir ou simplesmente observar. Sei que isso não é fácil, mas você pode descansar na certeza de que Deus está ao seu lado, pronto a estender-lhe a mão e trazê-la para mais perto do seu coração. Como dizem as Escrituras: "O amado do Senhor habitará seguro junto a ele; e o Senhor o cercará o dia todo, e ele habitará entre os seus ombros" (Dt 33.12).

Isso não é maravilhoso? Se nós fizermos a nossa parte — orarmos —, se perseverarmos, cavando os poços, no momento certo a água irá jorrar — a resposta às nossas orações. Para Deus, nenhum milagre é difícil demais.

Ron Hutchcraft, em seu programa de rádio, dá esperança aos pais feridos, ao relembrar a história narrada no capítulo 7 do evangelho de Lucas.

> Quando Jesus se aproximou das portas da cidade de Naim, "eis que levavam para fora um defunto, filho único de sua mãe, que era viúva; e com ela ia uma grande multidão da cidade. Logo que o Senhor a viu, encheu-se de compaixão por ela, e disse-lhe: Não chores. Então, chegando-se, tocou no esquife e, quando

pararam os que o levavam, disse: Moço, a ti te digo: Levanta-te. O que estivera morto sentou-se e começou a falar. Então Jesus o entregou à sua mãe" (v. 12-15).

Se Jesus pode ressuscitar um filho que já morreu para entregá-lo a sua mãe, você não acha que ele é capaz de trazer seu (sua) filho(a) de volta, onde quer que ele(a) esteja? Jesus está dizendo a você, agora mesmo: "Não desista. Não perca as esperanças. Eu ouvi suas orações. Eu trarei seu filho de volta".[3]

Quando oramos junto com outras pessoas, nossas esperanças se renovam. Algo extraordinário acontece quando muitas pessoas se reúnem para orar e suplicam fervorosamente em favor de alguém.

O efeito cumulativo

"Nossas orações têm um efeito cumulativo", diz o escritor Wesley Duewel. "A construção de uma barragem geralmente leva alguns meses, e depois de pronta, é preciso esperar alguns meses ou até mesmo um ano para a água se acumular atrás da barragem. Mas quando o volume de água atinge um determinado nível, as comportas são abertas e começam a movimentar os geradores, gerando uma tremenda energia".

Duewel usa essa ilustração para descrever a oração persistente e unânime. "À medida que as pessoas se unem em oração ou quando perseveram continuamente em oração, um grande volume de oração é acumulado, até que repentinamente as barreiras se rompem e a vontade de Deus se cumpre... Quando oramos de acordo com a vontade de Deus nossas orações nunca se perdem, mas vão se acumulando até que Deus as responda".[4]

A pessoa que permanece na parte seca da barragem não consegue ver a água se acumulando. Mas quando a água atinge o nível esperado, toda a energia acumulada irrompe de uma vez. Muitas vezes, permanecemos na parte seca da barragem, orando fielmente por um filho, pelo trabalho do marido, por maior união entre os irmãos da igreja, ou para que nossas escolas proclamem a luz de Jesus. No entanto, temos a impressão de que nada acontece. Mas podemos estar seguros de que Deus ouve nossas orações e, no momento designado por Ele, manifestará todo o seu poder.

Leia a seguir o relato de Jan em relação ao modo como orava por seu filho Luke:

> Lembro-me de certa vez em que sacudi meu dedo contra Deus, literalmente, enquanto orava por meu filho. "O Senhor enviou-me a criança errada", eu disse. "Eu não merecia ter um filho assim — irritado, rebelde, dissimulado e libertino". Eu pretendia ser a melhor mãe do mundo, mas com um filho como esse, não seria possível.
>
> Quando ainda era pequeno, Luke era alegre e extrovertido, mas também contestador e insubmisso. Eu tentava me consolar achando que por ter uma personalidade forte, ele seria capaz de resistir à pressão exercida pelo grupo de amigos. Eu não imaginava que a maior parte das crianças consideradas de "personalidade forte", na verdade são crianças egoístas e voluntariosas, e um adolescente não poderia ser diferente. Luke era assim: egoísta e independente. Ele ignorava regras e não tinha respeito por ninguém; fumava e

usava drogas, colocando a paciência de seus pais e professores no limite.

Tenho orado por Luke desde que ele nasceu, mas fiquei muito agradecida por Deus ter mandado um reforço às minhas orações, quando ele estava com oito anos, através do grupo de *Moms in touch* [*Mães em contato*]. Assim, a partir daí, essas mães passaram a orar comigo, intercedendo junto ao Pai em favor do meu filho. Quando minha fé fraquejava, elas me encorajavam e demonstravam amor por Luke através de suas orações.

Em nosso grupo de oração, costumamos pedir com ousadia ao Senhor para nossos filhos sejam descobertos sempre que forem culpados. Eu achava que Deus não ouvia muitas de nossas orações, mas *esta* oração Deus sempre respondeu. Luke geralmente era pego quando se envolvia em atividades ilegais.

Luke decidiu não continuar seus estudos depois que concluiu a oitava série. Afinal, ele não precisava, pois já sabia tudo. Além disso, ele achava que logo estaria ganhando muito dinheiro com sua banda de *rock*; portanto, não iria precisar de um diploma universitário.

Luke tomava decisões por conta própria. Porém, pouco a pouco, pudemos perceber alguns sinais de que Deus estava operando em sua vida. O fato de adquirir a independência que ele tanto desejava provocou uma melhora no relacionamento dele conosco. Ele começou a pedir conselhos ao pai, trocar idéias sobre esportes e pela primeira vez teve uma conversa de verdade comigo.

Aos poucos sua resistência foi cedendo e abrindo caminho para as coisas realmente importantes. Luke começou a ler avidamente a Bíblia, passou a freqüentar a igreja e abandonou os vícios. Desde que ele havia parado de estudar, todo o dinheiro que havia ganho, todas as suas esperanças, sonhos, planos e esforços se concentravam em sua banda. Os integrantes do grupo mal podiam esperar completar vinte e um anos para poderem freqüentar *shows* em bares e ficar na rua até de madrugada. Quando esse dia chegou, eles fizeram tudo que queriam. Porém, logo depois Deus disse a Luke que queria fazer algo diferente em sua vida.

E assim nosso filho, que nunca havia compartilhado conosco seus planos ou suas lutas pessoas, veio nos procurar para pedir que orássemos por ele, pois havia decidido deixar a banda. Como ele era o vocalista da banda e compositor das músicas do grupo, sua saída destruía os sonhos dos demais integrantes da banda e todo o trabalho desenvolvido pelo conjunto. Mas Luke já não estava mais em sintonia com o resto do grupo.

Deus colocou em seus lábios novas canções, canções que glorificavam ao Senhor. O modo como Deus agiu na vida de Luke tem encorajado outras mães do nosso grupo que ainda estão à espera de ver seus filhos e filhas retornando para Deus.

Sacudindo as portas

Sou uma mãe como Jan, e como você. Amo meus filhos da mesma forma que você ama os seus. Oro por eles assim como você. E, como muitas outras mães, tenho lutado, chorado e sacudido as portas do inferno pela vida de meu filho pródigo.

Algumas vezes, coloquei-me diante do Senhor, aos prantos, para interceder pela vida dele. Houve momentos em que o sentimento de ter fracassado como mãe invadiu meu coração, e minha mente se encheu de dúvidas. Como Deus poderia usar-me em um ministério quando toda a minha família estava em conflito? Como poderia afirmar às outras mães que Deus responde às orações, quando não via resposta às minhas próprias orações? O que aquelas mulheres pensariam quando soubessem o que estava acontecendo com meu filho?

Eu precisei da força, da sabedoria, do amor incondicional e da coragem de Deus para dar conta de minhas atividades como esposa, mãe e líder de ministério. Quando me recordo daqueles dias, só posso dizer que a graça — maravilhosa, incomparável, extraordinária graça — de Deus me sustentou, não permitindo que eu deixasse minhas atividades de lado nem perdesse a esperança.

Lembro-me de um dia em que me senti particularmente indigna. Então, abri a Bíblia e li Mateus 10.37,38: "Quem ama o pai ou a mãe mais do que a mim não é digno de mim; e quem ama o filho ou a filha mais do que a mim não é digno de mim. E quem não toma a sua cruz, e não segue após mim, não é digno de mim".

O Espírito Santo fez com que eu parasse na afirmação: "E quem não toma a sua cruz, e não segue após mim, não é digno de mim". Compreendi que minha tarefa era apenas carregar minha cruz e me manter fiel ao chamado de Deus. Mesmo que isso fosse difícil.

Mesmo que eu não soubesse bem como agir. Mesmo sentindo que não seria capaz de prosseguir.

Orei: "Ó Deus, eu amo o Senhor mais do que a meus filhos e quero servi-lo até que o Senhor me leve de volta ao lar para habitar junto a ti, por toda a eternidade. O Senhor tem razão. Não posso carregar as cruzes de meus filhos. O Senhor é quem irá ajudá-los a carregá-las, da mesma forma como tem me ajudado. Sinto-me aliviada ao saber que sou responsável apenas pela cruz que o Senhor me deu. A única coisa que o Senhor exige de mim é que eu seja fiel".

Tenho grande admiração por Billy Graham e sua esposa, Ruth, por eles terem se mostrado vulneráveis em relação ao seu filho pródigo, Franklin. Eles perseveraram em oração por ele, e continuaram a servir ao Senhor. Billy Graham continuou pregando, apesar da teimosia de seu filho em se manter afastado do Senhor. Imagine quantas pessoas teriam deixado de ouvir o Evangelho se o reverendo Billy Graham tivesse desistido de pregar enquanto seu filho não acertasse seu relacionamento com Jesus.

Correndo com perseverança

Assim como Billy Graham e sua esposa, minha tarefa era perseverar em oração por meus filhos. Devo correr com alegria e perseverança a carreira que me foi proposta por Deus (Hb 12.1,2).

Alguns trechos do livro *Streams in the desert* [Mananciais no deserto] me trouxeram grande conforto quando eu tentava correr minha carreira com paciência e servir ao Senhor, apesar de estar angustiada por causa de meu filho.

Geralmente, associamos paciência com estar deitado. Pensamos nela como o anjo que guarda o leito do inválido. Entretanto, não penso que a paciência do inválido seja a mais difícil de se obter. Há uma paciência que creio ser ainda mais difícil. [...] É o poder de *trabalhar* debaixo de um golpe; ter um grande peso no coração e, ainda assim continuar correndo; ter uma angústia profunda no espírito e, ainda assim executar as tarefas diárias. [...] Somos chamados a sepultar as nossas tristezas não em plácida quietude, mas no serviço ativo. [...] Nunca é tão difícil enterrar as tristezas como no meio dessas situações; isso é "correr com paciência".[5]

Hoje meus filhos já são adultos e amam o Senhor. Posso declarar como João: "Não tenho maior gozo do que este: o de ouvir que os meus filhos andam na verdade" (3 Jo 4). Louvo ao Senhor por ter me ajudado a cumprir a tarefa que me foi proposta. Se eu tivesse me omitido, quantas bênçãos não teria perdido.

Evelyn Christenson afirma em seu livro *What happens when women pray* [O que acontece quando as mulheres oram]: "As mudanças não acontecem quando estudamos sobre a oração, nem quando conversamos sobre esse assunto ou memorizamos versículos inspiradores das Escrituras para citá-los em nossas orações. As coisas só acontecem quando *realmente oramos*".[6]

Meu propósito ao longo deste livro foi estimulá-la a se dedicar firmemente a uma vida de oração. Deus nos concedeu o privilégio e a responsabilidade de orar por nossos queridos, especialmente por nossos filhos. Nosso legado de oração é a herança mais preciosa que podemos deixar a eles. A oração tem poder.

Como mencionamos anteriormente, o fato de sermos filhas de Deus nos dá certos direitos e privilégios. Temos autoridade para vir diante do nosso Pai celestial em nosso favor e em favor de outros. Deus pede para perseverarmos em oração e para orarmos com confiança. Nosso Pai espera que nos coloquemos diante dele regularmente para nos comunicarmos com Ele. Ele pede para trazermos nossos corações, nossas esperanças e nossos anseios diante dele, pedindo-lhe para agir em nosso favor e em favor de nossos queridos. Ele nos deu os instrumentos para fazer isso e a garantia de que irá responder aos nossos anseios. Este é um dos motivos que nos leva a estudar as Escrituras — conhecer a vontade de Deus e suas promessas, para que possamos orar de acordo com a Palavra. Essa é a razão por que devemos orar juntos — porque a Palavra do Senhor afirma que a oração unânime tem poder. Enquanto oramos, entramos numa luta espiritual contra as trevas, mas Ele nos garante a vitória. Essa é a razão pela qual oramos pelo local que tão profundamente influencia nossos filhos — suas escolas. Sabemos que Deus deseja transformar as escolas em locais edificantes, tanto no aspecto espiritual quanto moral. É por essa razão que oramos seguindo os quatro passos da oração transformadora de vida, pois essa oração nos ajuda a focalizar cada aspecto do nosso relacionamento com Deus: louvor, confissão, ação de graças e intercessão.

Agora que você já aprendeu a orar seguindo os quatro passos da oração, espero que isso possa ajudá-la a descobrir novas formas para adorar e louvar ao Senhor. Mesmo depois de vinte anos orando através dos quatro passos, todas as vezes que oro assim, fico na expectativa de obter um conhecimento mais profundo de Deus por meio de cada aspecto da oração. Descobri que cada passo é uma forma de expressar minha adoração ao Senhor, fazendo-me lembrar do caráter e da fidelidade de Deus — que tenho experimentado continuamente. Meu coração continua clamando: "Senhor, ensina-me a orar". Ainda estou aprendendo a orar, assim como você.

Portanto, querida leitora, oro para que seu cântico ao Senhor traga júbilo e bênçãos — para você e para o Senhor. Que você consiga alcançar as notas mais altas e sustentá-las por um longo tempo.

Querido Pai, peço que todas as mulheres que lerem esse livro desfrutem da promessa expressa no Salmo 25.14: "A intimidade do Senhor [um agradável e satisfatório companheirismo] é para os que o temem [reverenciam e adoram], aos quais ele dará a conhecer [de forma profunda, intimamente] a sua aliança" (NVI).

Pai, que sua palavra habite ricamente nessas mulheres. Que elas anseiem pelo Senhor como as corças anseiam pelos ribeiros. Ajude-as a separar um tempo, todos os dias, para ficarem a sós com Deus. Dê a elas a certeza de que o Senhor está atento aos seus clamores e responde às suas orações. Que elas possam desfrutar da alegria de se reunirem em oração e carregarem os fardos umas das outras. Abençoe a todas e dê a elas coragem, fé e esperança para permanecerem firmes em oração — pois todo filho precisa de uma mãe que ora. Amém.

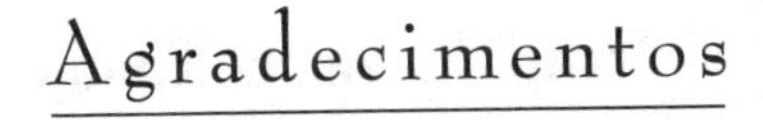

Agradecimentos

ESSE LIVRO É UM MILAGRE DA GRAÇA de Deus em minha vida. Não me lembro de um dia sequer, enquanto eu escrevia essas páginas, em que não me coloquei diante do Senhor e clamei: "Senhor Jesus, preciso de sua ajuda. Enche-me com teu Espírito Santo para que eu possa escrever o que está em teu coração". Para Ele, antes e acima de tudo, seja toda a honra e glória e louvor.

Agradeço de todo o coração aos funcionários da Zondervan, especialmente a Carolyn Blauwkamp, que captou a visão de *Moms in touch international* [*Mães em contato internacional*], além de ter sido a primeira a sugerir que eu publicasse esse livro; à Cindy Hays Lambert, minha incrivelmente perspicaz editora; à Sue Brower, que como diretora de *marketing*, deu grande apoio ao livro desde o início. A todos os funcionários da Zondervan, minha gratidão pelo entusiasmo e por acreditarem que Deus queria que a visão de *Moms in touch international* [*Mães em contato internacional*] fosse compartilhada através das palavras desse livro.

À minha querida agente, Ann Spangler, que amorosa e pacientemente me encorajou e ajudou, especialmente nos estágios iniciais do projeto. Deus colocou em seu coração a idéia de escrever esse livro há mais de dez anos! Deus usou Ann de uma forma que ela nunca poderia imaginar.

À Janet Kobobel Grant, que me encanta com sua experiência editorial, sua aguda percepção e seu talento organizacional. Você sempre tinha uma palavra boa para mim em nossas conversas semanais, incentivando-me a continuar. Deus escolheu-a para ser minha "orientadora" neste livro. Seus "toques" foram fundamentais para a realização desse projeto.

À minha equipe de intercessoras de *Moms in touch international* (conselho diretor, coordenadoras estaduais, diretoras regionais, funcionários do escritório central, amigos do *Moms in touch international*, bem como todos os meus familiares). Sou grata a Deus pela vida de todos vocês. Vocês foram minha fonte de inspiração. Este livro não poderia ser escrito sem as orações dedicadas de todos vocês. Obrigada pelas horas que vocês passaram orando por mim e por Janet. Este é verdadeiramente o "nosso" livro.

Quero agradecer especialmente a Cheri Fuller, Pam Farrel, Marlae Gritter, Charlene Martin, Joanne Harris e Connie Kennemer por seus comentários estimulantes, telefonemas e *e-mails*. A colaboração de vocês foi preciosa.

Aos incríveis funcionários do escritório central. Não tenho palavras para expressar meu amor e minha gratidão pela confiança que vocês depositaram em mim e por suas preciosas orações em meu favor. Desejo agradecer especialmente a Kathy Gayheart, Julie van der Schalie, Shari Larson, Elaine Minton e Melanie Collier por me ajudarem com sua compreensão a resolver os problemas surgidos durante a preparação desse livro.

Agradeço ao meu grupo de *Moms in touch* [*Mães em contato*] que se reúne às quintas-feiras ao meio-dia por ter assumido o compromisso de orar por mim todas as semanas. Sou grata especialmente a Lynne Bechard e Kathleen Wendeln, por levarem meus pedidos específicos de oração até as mães do grupo. Ter vocês como companheiras de oração é motivo de grande alegria e prazer para mim.

Às mulheres do *Moms in touch international* [*Mães em contato internacional*] dos Estados Unidos e de todas as partes do mundo. Obrigada por compartilharem seus testemunhos de oração comigo. Através de seus depoimentos sinceros vocês demonstraram que Deus ouve e responde às orações, trazendo esperança a muitas outras mães.

E à minha família, por suas orações e por nunca duvidarem que eu "posso todas as coisas por meio daquele que me fortalece" — Cristo, a fonte de toda a minha alegria e perseverança. Meu amor por vocês "chega até os céus".

Apêndices:
Listas e diários de oração

Louvor: Os atributos de deus

"Louvai a Deus com brados de júbilo, todas as terras. Cantai a glória do seu nome, dai glória em seu louvor." Sl 66.1,2

Apresentamos a seguir uma lista dos atributos de Deus, descrevendo-os de acordo com as Escrituras. Você pode orar usando cada um desses atributos em louvor a Deus. As definições poderão ajudá-la a considerar os vários aspectos de cada atributo e louvar ao Senhor de forma mais profunda.

Deus é supremo

Deus é o primeiro, o Todo-Poderoso, o mais sábio, o ser supremo, o único Deus, Aquele que está acima de todos, Senhor do céu e da terra.

Gênesis 14.19
Jó 11.7-9
Isaías 44.6-8
Hebreus 1.4,6
Deuteronômio 10.14-17
Salmos 95.3-7
Atos 17.24-28
Judas 24,25
Neemias 9.6
Salmos 135.5
Colossenses 1.15-18
Apocalipse 4.8

Deus é soberano

Ocupa a posição de governante; nosso Rei que reina; independente de todos os outros; acima ou superior a todos os outros; controla todas as coisas e pode fazer o que quiser.

1 Samuel 2.6-8
Jó 42.2
1 Crônicas 29.10-13
Salmos 33.10-11
Salmos 135.6,7
Mateus 10.29,30
Salmos 93
Isaías 46.9,10
2 Crônicas 20.6
Salmos 47.2,3, 7,8
Isaías 40.10
Romanos 8.28

Deus é onipotente

Todo-Poderoso; tem poder ou autoridade ilimitada; soberano.

2 Crônicas 32.7,8
Salmos 147.5
Habacuque 3.4
Efésios 3.20
Salmos 62.11
Isaías 40.28-31
Mateus 19.26
Colossenses 1.10-12
Salmos 89.8-13
Jeremias 32.17
Efésios 1.19,20
Hebreus 1.3

Deus é onisciente

Seu conhecimento não tem limite; Ele conhece todas as coisas.

Salmos 44.21
Salmos 147.5
Mateus 6.8
Romanos 11.33,34
Salmos 139.1-6
Isaías 65.24
Mateus 10.30
Colossenses 2.3
Salmos 142.3
Daniel 2.22
João 6.64
Hebreus 4.13

Deus é onipresente

Presente em todos os lugares e em todas as épocas.

1 Reis 8.27
Salmos 139.5-122
Mateus 28.20
Colossenses 1.17
Salmos 31.20
Isaías 66.1
Atos 17.27,28
2 Timóteo 4.16-18
Salmos 46.1-7
Jeremias 23.24
Romanos 8.35, 38,39
Hebreus 13.5

Deus é imutável

Não muda nem varia; Ele é sempre o mesmo.

Números 23.19
Salmos 100.5
Isaías 40.6-8
Hebreus 6.17-19
1 Samuel 15.29
Salmos 102.25-27
Isaías 51.6
Hebreus 13.8
Salmos 33.11
Salmos 119.89, 152
Malaquias 3.6
Tiago 1.17

Deus é fiel

Constante, leal, confiável, imutável, firme, devotado, verdadeiro, fidedigno.

Deuteronômio 7.9
Salmos 119.90
Lamentações 3.21-24
2 Timóteo 2.13
1 Coríntios 10.13
1 João 1.9
Salmos 89.8
Salmos 146.5-8

Salmos 33.4
Salmos 145.13
2 Timóteo 1.12
Apocalipse 19.11

Deus é santo

Espiritualmente perfeito ou puro; imaculado. Devemos temê-lo, honrá-lo e adorá-lo.

Êxodo 15.11
Salmos 99
Isaías 57.15,16
1 Pedro 1.15,16
1 Samuel 2.2
Salmos 111.9
Lucas 1.49
Apocalipse 4.8
Salmos 77.13
Isaías 5.16
Atos 3.13-15
Apocalipse 15.4

Deus é justo

Correto ou justo, imparcial, reto, verdadeiro, exato, íntegro.

Deuteronômio 32.4
Salmos 89.14-16
2 Crônicas 19.7
Salmos 119.137,138
Sofonias 3.5
2 Tessalonicenses 1.5-7
Isaías 30.18
Romanos 3.25,26
Salmos 9.7-10
Salmos 145.17
João 5.30
Apocalipse 15.3,4

Deus é sábio

Derivado de *conhecer* ou *ver*, mas sabedoria é muito mais do que discernimento para compreender e agir. Implica uma aguda percepção, discernimento; capacidade de julgar com justiça; tomar as decisões corretas.

1 Crônicas 28.9
Provérbios 2.6
Isaías 55.8,9
Romanos 16.27
Daniel 2.20-22
Colossenses 2.2,3
Salmos 147.5
Isaías 28.29

Salmos 92.5
Provérbios 3.19,20
Romanos 11.33,34
Tiago 3.17

Deus é eterno

Sem começo nem fim; subsiste ao longo dos séculos; perpétuo.

Êxodo 3.14,15
Neemias 9.5
Salmos 93.2
Romanos 1.20
Êxodo 15.18
Salmos 45.6
Isaías 26.4
1 Timóteo 1.17
Deuteronômio 33.27
Salmos 90.1,2
Jeremias 31.3
Apocalipse 1.8,18

Deus é o criador

Aquele que criou o universo e tudo que nele há.

Gênesis 1.1
Salmos 104
Jeremias 10.12
Colossenses 1.16
Salmos 95.3-7
Salmos 148.1-6
João 1.3
Hebreus 1.2
Salmos 100.3
Isaías 42.5
Atos 17.24-28
Apocalipse 10.6

Deus é bom

Virtuoso; excelente; reto; completamente, basicamente e inteiramente bom.

Salmos 25.8
Salmos 119.68
Jeremias 33.11
João 10.11
Salmos 34.8
Salmos 136.1
Naum 1.7
1 Timóteo 4.4
Salmos 86.5
Salmos 145.9
Marcos 10.18
2 Pedro 1.3,4

Hora silenciosa – Louvor

Louvar-te-ei, Senhor Deus meu, de todo o meu coração e glorificarei o teu nome para sempre. Sl 86.12

O roteiro a seguir é bastante útil para guiá-la em suas reflexões e em seu louvor a Deus. Pode também ser usado como registro de suas horas de oração.

Data: ___________ Atributo: ________________
Definição:
Texto bíblico:
Reflexão/Oração:

Data:__________ Atributo:____________________
Definição:
Texto bíblico:
Reflexão/ Oração:

Data:__________ Atributo:____________________
Definição:
Texto bíblico:
Reflexão/ Oração:

Data:__________ Atributo:____________________
Definição:
Texto bíblico:
Reflexão/ Oração:

Confissão

Aquele, pois, que sabe fazer o bem e não o faz, comete pecado. Tiago 4.17

A lista a seguir foi organizada por Evelyn Christenson e pode ser usada como um roteiro para a confissão.[1] As perguntas poderão ajudá-la a refletir sobre as áreas de sua vida onde existem pecados não confessados. Cada resposta afirmativa a uma questão revela um pecado que precisa ser confessado.

Em tudo dai graças; porque esta é a vontade de Deus em Cristo Jesus para convosco. 1 Tessalonicenses 5.18

Alguma coisa a preocupa? Você tem agradecido a Deus por *todas* as coisas, inclusive por aquelas que no momento parecem ruins? Você tem dado graças durante as refeições?

Ora, àquele que é poderoso para fazer tudo muito mais abundantemente além daquilo que pedimos ou pensamos, segundo o poder que em nós opera.
Efésios 3.20

Você tem deixado de trabalhar na obra do Senhor por achar que seus talentos não são suficientes? Seu sentimento de inferioridade tem impedido você de servir a Deus? Quando você executa algum serviço para Cristo, você dá a Ele toda a glória?

Mas recebereis poder, ao descer sobre vós o Espírito Santo, e ser-me-eis testemunhas, tanto em Jerusalém, como em toda a Judéia e Samaria, e até os confins da terra.
Atos 1.8

Você tem falhado em seu testemunho de vida como cristã? Você acha que é suficiente testemunhar seu cristianismo através de sua vida, sem dar testemunho com sua boca aos perdidos?

Porque [...] digo a cada um dentre vós que não tenha de si mesmo mais alto conceito do que convém.
Romanos 12.3

Você se orgulha de *suas* realizações, *seus* talentos, *sua* família? Você é capaz de considerar os outros melhores do que você, ou mais importantes do que você no corpo de Cristo? Você insiste em preservar seus direitos? Você se considera uma boa cristã? Você tem se sujeitado à vontade de Deus em sua vida?

Toda a amargura, e cólera, e ira, e gritaria, e blasfêmia sejam tiradas dentre vós, bem como toda a malícia.
Efésios 4.31

Você está sempre reclamando, procurando defeitos ou contestando? Você tem espírito crítico? Você tem prevenção contra cristãos de denominações diferentes da sua, por eles divergirem de você em algumas coisas? Você costuma fazer comentários indelicados sobre as pessoas quando elas não estão presentes? Você se irrita com você mesma? Com os outros? Com Deus?

Ou não sabeis que o vosso corpo é santuário do Espírito Santo, que habita em vós, o qual possuís da parte de Deus, e que não sois de vós mesmos?
1 Coríntios 6.19

Você descuida de seu corpo? Você pode ser acusada de não cuidar bem do seu corpo como templo do Espírito Santo, não se alimentando de forma adequada ou não fazendo exercícios? Você tem defraudado seu corpo com relações sexuais ilícitas?

Ação de graças

Para ajudá-la a lembrar daquelas pessoas ou circunstâncias pelas quais você é grata, medite sobre isso e, a seguir, agradeça a Deus:

- Por sua presença constante junto a seu marido e filhos.
- Por todas as vezes que Ele a livrou de seus temores.
- Pelas bênçãos de fazer parte do corpo de Cristo.
- Pela maneira como Ele tem cuidado de você nos momentos difíceis.
- Por capacitá-la a servir sua família.
- Pela maneira como Ele tem suprido todas as suas necessidades.
- Pelo conforto nas horas de desânimo, fraqueza e solidão.

Intercessões

Algumas vezes, os motivos de oração são tantos que você se sente sobrecarregada. Uma boa maneira de resolver esse problema é orar cada dia por um determinado assunto. A seguir apresentamos algumas sugestões de assuntos e de textos das Escrituras.

Diariamente: Família.

Marido:

Salmos 1.1-3
Isaías 61.1-3
Salmos 19.7-11
Ezequiel 36.26,27
Salmos 32.7,8
Efésios 1.17,18
Salmos 92.12-15
2 Tes. 1.11,12

Filhos (ver páginas 304 a 306)

Domingo: Igreja

Por seu pastor, pelos líderes, professores da escola dominical, missionários, evangelistas, seminários.

2 Coríntios 7.1
Colossenses 1.9-11
Efésios 4.1-3
Colossenses 4.3,4
Efésios 6.19
1 Tess. 5.16-22
Filipenses 1.9-11
2 Timóteo 2.15

Segunda-feira: Escola

Pelo diretor, professores e funcionários.

Salmos 106.3
Atos 26.18
Provérbios 6.16-19
Colossenses 2.8
Provérbios 10.9
1 Timóteo 6.20
Provérbios 14.34
Tito 2.7,8

Terça-feira: Autoridades

Pelo presidente, vice-presidente, ministros, senadores, deputados, governadores, prefeitos, juízes, policiais.

Deuteronômio 18.9-11
Provérbios 6.16-19
2 Crônicas 19.7
Provérbios 14.34
Salmos 33.12
Filipenses 1.9,10
Provérbios 3.5,6
2 Timóteo 2.25

Quarta-feira: Incrédulos

Romanos 2.4
1 Timóteo 2.4-6
Romanos 10.1, 13-15
2 Timóteo 2.25,26
2 Coríntios 4.3,4
1 Pedro 1.18,19
Colossenses 1.13
2 Pedro 3.9

Quinta-feira: Cristãos perseguidos

Salmos 79.11
Colossenses 4.3
Salmos 80.17-19
2 Tessalonicenses 3.3,5
Filipenses 1.20
Hebreus 13.20,21
Colossenses 1.11
1 Pedro 2.15

Sexta-feira: Mídia

Pelas pessoas que trabalham em jornais, TV, rádio, revistas, cinema.

2 Crônicas 7.13,14
Ezequiel 18.30-32
Provérbios 1.7
Colossenses 2.8
Provérbios 15.28
1 Tessalonicenses 2.4
Isaías 1.16,17
1 João 2.15,16

Sábado: Irmãos em Cristo

Provérbios 9.10
Filipenses 1.4-6
João 17.17
Filipenses 1.9-11
Efésios 1.16-19
Colossenses 4.12
Efésios 3.14-20
Hebreus 10.24

Hora silenciosa – Intercessão

E esta é a confiança que temos nele, que, se pedirmos alguma coisa segundo a sua vontade, ele nos ouve; e, se sabemos que nos ouve em tudo o que pedimos, sabemos que já alcançamos as coisas que lhe temos pedido. 1 João 5.14,15

Use essas páginas para anotar suas orações intercessórias. Ao reler as respostas de oração registradas nesse diário, você será abençoada e suas forças renovadas para continuar orando.

Data: ________
Referência Bíblica: ________________
Pedidos Bíblicos (orando de acordo com as Escrituras) ____________________________
Pedido Específico: ________________________
____
Data/Resposta: ____________

Data:
Referência Bíblica:
Pedidos Bíblicos (orando de acordo com as Escrituras)

Pedido Específico:

Data/Resposta:

Data:
Referência Bíblica:
Pedidos Bíblicos (orando de acordo com as Escrituras)

Pedido Específico:

Data/Resposta:

Data:
Referência Bíblica:
Pedidos Bíblicos (orando de acordo com as Escrituras)

Pedido Específico:

Data/Resposta:

Data:
Referência Bíblica:
Pedidos Bíblicos (orando de acordo com as Escrituras)

Pedido Específico:

Data/Resposta:

Data:
Referência Bíblica:
Pedidos Bíblicos (orando de acordo com as Escrituras)

Pedido Específico:

Data/Resposta:

Data:
Referência Bíblica:
Pedidos Bíblicos (orando de acordo com as Escrituras)

Pedido Específico:

Data/Resposta:

Intercessão: Orando por nossos filhos conforme as Escrituras

Os textos a seguir são orações encontradas nos versículos das Escrituras, que você pode orar por seus filhos.

Obediência à Palavra

Dê para o meu filho um coração perfeito e voltado para Deus, para que ele(a) guarde os teus mandamentos e os teus estatutos e cumpra tua vontade. (1 Crônicas 29.19)

Amor à Palavra de Deus

Que meu filho observe a Palavra (de Deus) como seu bem mais precioso. Que ele(a) escreva e guarde teus mandamentos no fundo de seu coração. (Provérbios 7.2,3)

Prazer na companhia dos irmãos em Cristo

Que meu filho se alegre na companhia dos que, de coração puro, invocam o Senhor. (2 Timóteo 2.22)

Conheça a voz de Jesus e siga-a

Que meu filho saiba reconhecer a voz de Jesus e segui-lo. Que ele nunca siga o estranho [por motivo algum], antes fuja dele, por não conhecer a sua voz. (João 10.4,5)

Confesse os pecados prontamente

"Porque assim diz o Alto e o Excelso, que habita na eternidade, e cujo nome é Santo: Num alto e santo lugar habito, e também com o contrito e humilde de espírito, para vivificar o espírito dos humildes, e para vivificar o coração dos contritos". (Is 57.15) Que o coração de meu filho possa ser assim.

Saiba a diferença entre o certo e o errado

Oro para que meu filho veja claramente a diferença entre o certo e o errado, e seja intimamente puro, para que ninguém possa censurá-lo, desde agora até a volta do Senhor. (Fp 1.10 Bíblia Viva)

Esteja a salvo de provocações

Esconde meu filho no abrigo da Tua presença, proteja-o da intriga dos homens. (Sl 31.20)

Conheça Melhor a Deus

Peço que o Deus de nosso Senhor Jesus, o Pai da glória, conceda a meu filho o espírito de sabedoria e de revelação no pleno conhecimento dele (Ef 1.17).

Seja salvo

Dê a meu filho um coração — um novo coração — e ponha dentro dele um novo espírito; tire da sua carne o coração de pedra [endurecido de forma não natural] e lhe dê um coração de carne [sensível e suscetível ao toque do Senhor] (Ez 11.19).

Tenha orgulho de ser cristão

Que Tua palavra seja o seu sustento; que ela seja alimento para sua alma faminta. Que Tuas palavras tragam gozo e alegria ao seu coração. Que ele se orgulhe de levar o teu nome, ó Senhor Deus (Jr 15.16).

Notas

Introdução

1.[NT]: Este é um nome nada comum, e a pronúncia é *Ar – Li.*

Capítulo 2: Orando com confiança

1.Warren Myers e Ruth Myers, *How to be effective in prayer,* (Colorado Springs, NavPress, 1983), xvii

2.Carta de Ney Bailey, novembro-dezembro de 1986.

Capítulo 3: Oração transformadora

1.Myers, *How to be effective in prayer,* 8.

2.[NT]: Personagem de Green Gables

3.Jones, E. Stanley, *How to Pray* (Reston, Va.: Intercessors for america), 11-12.

Capítulo 4: Louvor: Orando de acordo com os atributos de Deus

1.Taylor, Jack R., *The hallelujah factor* (Nashville: Broadman, 1983), 25.

2.Eastman, Dick, *The hour that changes the world* (Grand Rapids, Mich.: Baker, 1978), 23.

3.Spurgeon, C. H., *The practice of praise* (New Kensinton, Penn.: Whitaker House, 1995), 13.

4.Spurgeon, *The practice of praise*, 16-17.

5.Eastman, *The hour that changes the world*, 24.

6.Ibid.

7.Tozer, A. W., *The knowledge of the holy* (New York: Harper & Row, 1961), 20.

Capítulo 5: Confissão: Removendo o entulho

1.Eastman, *The hour that changes the world*, 43.

2.Dean, Jannifer Kennedy, *He restores my soul* (Nashville: Broadman & Holman, 1999), 33.

3.Dawson, Joy, *Intimate friendship with God* (Old Tappan, N.J.: Chosen Books, 1986), 57.

4.McGrath, Alister E., ed., *The NIV thematic reference bible* (Grand Rapids, Mich.: Zondervan, 1999), 1058.

5.Daniels, David, *"Encountering God in the Lord's prayer", Discipleship Journal* (maio/junho de 2002), 64.

6.Gothard, Bill, *Ten reasons for alumni to be encouraged* (Oak Brook, Ill.: Institute in Basic Life Principles, 1992), 9.

7.Mehl, Ron, *God works the night shift* (Sisters, Ore.: Multnomah Publishers, 1994), 98-100.

Capítulo 6: Ação de graças: A expressão de um coração agradecido

1.Hallesby, O., *Prayer* (Minneapolis: Augsburg Fortress, 1994).

2.Carothers, Merlin, *Power in praise* (Escondido, Calif.: Merlin R. Carothers, 1972).

3.Mehl, *God works the night shift*, 27, 29-30.

Capítulo 7: Intercessão: Colocando-se na brecha

1.Smith, Alice, *Beyond the veil* (Houston, Tex.: Spiri Truth Publishing, 1996), 28.

2.Dean, Jennifer Kennedy, *"Alternate-Route prayer", Pray* (julho/agosto de 2002), 16.

3.Eastman, *The hour that changes the world*, 76.

4.Murray, Andrew, *Prayer: A 31-Day plan to enrich your prayer life* (Uhrichsville, Ohio: Barbour, 1995).

5.Cowman, Mrs. Charles E., *Streams in the desert* (Grand Rapids, Mich.: Zondervan, 1925).

Capítulo 8: Orando segundo as promessas de Deus

1.Definição 3.

2.De Haan II, Martin R., *How does God keep his promises?* (Grand Rapids, Mich.: Radio Bible Class, 1989), 4-5.

3.Ibid. 18.

4.Ibid. 11.

5.Ibid. 7.

6.Bounds, E. M., *The possibilities of prayer* (Chicago: Moody Press, 1980), capítulo 3, página 1.

7.Hutchcraft, Ron, *"The store is yours"*, *A Word with You*, #4017, www.gospelcom.net.

Capítulo 9: Oração unânime

1.Stedman, Ray, *Talking with the father* (Grand Rapids, Mich.: Discovery House, 1997), 101.

2.Rinker, Rosalind, *Prayer: Conversing with God* (Grand Rapids, Mich.: Zondervan, 1959), 46.

3.Rinker, *Prayer*, 23.

4.Christenson, Evelyn, *What happens when women pray* (Wheaton, Ill: Victor, 1980), 40.

Capítulo 10: Preparando-se para a luta: Batalha de oração

1.Sheets, Tim, *Armed and battle ready* (edição pessoal, 1985), 15-16.

2.Ibid.

3.Stanley, Charles, *"The real war"*, série em dois *tapes*.

Capítulo 11: Orando por nossas escolas

1.National Center for Education website, *http://nces.ed.gov//*

pubs2002/digest2001/ch1.

2. *"Focus on the family features moms in touch"*, *Heart to Heart* boletim informativo (primavera de 2000), 4.
3. *www.syatp.com*
4. CBN news story, 23 de setembro de 2002.
5. *www.bibleinschools.org.*
6. *www.gtbe.org, Gateways to better education* newsletter.
7. Editores de *Religion today, crosswalk.com*, 29 de março de 2001.
8. Correspondência pessoal, 2002.
9. Chambers, Oswald, *My utmost for his highest* (Uhrichsville, Ohio: Barbour, 1998).

Capítulo 12: Nunca desista de orar!

1. Bergel, Gary, "A Time for Prevailing Prayer", *Intercessors for america newsletter*, fevereiro de 2001, 2.
2. Spurgeon, Charles H., *Morning and evening* (Grand Rapids, Mich.: Zondervan, 1980), Morning, jan. 15.
3. Hutchcraft, Ron, *"Child snatching", A word with you*, #4123, *www.gospelcom.net*.
4. Duewel, Wesley, *Mighty prevailing prayer* (Grand Rapids, Mich.: Zondervan, 1990), 152.
5. Cowman, Mrs. Charles E., *Streams in the desert* (Gand Rapids, Mich.: Zondervan, 1925), 314-15.
6. Christenson, *What happens when women pray*, 32.

Apêndice: Listas e diários de oração

1. Christenson, Evelyn, *A study guide for evangelism praying* (St. Paul, Minn.: 1992).

Comentário de Fern Nichols sobre *Moms in touch international* [Mães em contato internacional]

Gostaria de encorajá-la a se unir a outras mães que oram por seus filhos através dos grupos de *Moms in touch international* [*Mães em contato internacional*]. Para isso, tomarei emprestado as palavras de Patrick Henry ao estimular seus conterrâneos do Estado da Virgínia a aderir à revolução de 1775: "Nossos irmãos [e irmãs] já estão no campo de batalha! Por que devemos ficar aqui à toa?" Você não gostaria de experimentar por si mesma o que acontece quando as mães se reúnem para orar?

Para saber mais sobre *Moms in touch international* [*Mães em contato internacional*] em sua região e obter informação sobre como iniciar um grupo ou simplesmente aprender mais sobre os quatro passos da oração, que tornam nossas orações tão poderosas, entre em contato com:

Moms in touch international
P. O. Box 1120
Poway, Califórnia 92074-1120
(858) 486-4065
e-mail: info@MomsInTouch.org
site: www.MomsInTouch.org

O ministério *Moms in touch international* [*Mães em contato internacional*] tem como propósito encorajar as mães e outras pessoas a se reunirem regularmente para orar por seus filhos e por suas escolas. Nosso sonho é que todas as escolas do mundo estejam cobertas de orações. Deus está levantando mães de todas as partes do mundo para orar, porque todo filho precisa de uma mãe que ora.

Mães unidas em oração - Brasil

"Mãe cristã comprometida com Deus só deixa de orar pelo filho quando ela morre."

(Jane Esther)

Fundamentado nas práticas e princípios do Ministério *Moms In Prayer International*, anteriormente *Moms In Touch International*, fundado e presidido por Fern Nichols, desde 1984, esse MINISTÉRIO está em mais de 140 países. Há vinte anos, chegou ao Brasil, com o nome de *Mães Unidas Em Oração*. Hoje está em todos os estados, reunindo as mães, pinçadas, escolhidas por Deus comprometidas a orar pelos filhos e escolas.

O livro *Todo Filho Precisa de uma Mãe que Ora*, mostra como envolver e apoiar as mães **biológicas, adotantes e espirituais**, a orarem pelos filhos e escolas, através da orações persistentes e eficazes. Estimula, em cada mãe, o anseio por uma maior intimidade com Deus, superando a paralisia espiritual, eliminando o medo e transformando a perspectiva futura, cheia do significado de uma vida de oração pautada pela ***"fé, coragem e perseverança"***.

Cada mãe aprenderá como orar, tanto individualmente, quanto com outras mães, 1 (uma) vez por semana, 1 (uma) hora, usando a Bíblia para guiá-la nessa tarefa, através dos "Quatro Passos Para Oração": Adoração e Louvor; Confissão de Pecados; Ação de Graças; e Intercessão. Assim, estarão preparadas para as batalhas espirituais que terão que travar para que seus filhos sejam guiados por altos valores bíblicos, morais e éticos.

"Mães Unidas em Oração, filhos protegidos!
Todo Filho precisa de Uma Mãe que Ora!
Você já orou pelo seu filho hoje?"

Se você ainda não faz parte do "
Ministério "Mães Unidas em Oração",
entre em contato conosco:
E-mail: maesunidasemoracao@gmail.com
Telefones: (21) 3242-1778 / 98214-2870